D1157767

El Rey del Agua

Claudia Aboaf

El Rey del Agua

© De esta edición:
Aguilar, Altea, Taurus, Alfaguara, S.A. de Ediciones, 2016
Humberto I 555, Buenos Aires
www.megustaleer.com.ar

ISBN: 978-987-738-260-0

Hecho el depósito que indica la ley 11.723
Impreso en la Argentina - *Printed in Argentina*

Primera edición: septiembre de 2016

Diseño: Penguin Random House Grupo Editorial,
inspirado en un diseño original de Enric Satué

Aboaf, Claudia
El Rey del Agua. - 1ª ed. - Buenos Aires : Alfaguara, 2016.
144 p. ; 24 x 15 cm. (Hispánica)

ISBN 978-987-738-260-0

1. Narrativa Argentina. I. Título
CDD A863

Queda prohibida, salvo excepción prevista
en la ley, cualquier forma de reproducción,
distribución, comunicación pública y transformación
de esta obra sin contar con autorización de
los titulares de la propiedad intelectual.
La infracción de los derechos mencionados
puede ser constitutiva de delito contra la propiedad intelectual.

Esta edición de 2500 ejemplares se terminó de imprimir en Encuadernación Araoz S.R.L.,
Avda. San Martín 1265, Ramos Mejía, Buenos Aires, en el mes de agosto de 2016.

Para Guillermo, Juan y Milo

Me limitaré a mirar hacia arriba y a decir:
"¿Quién soy ahora, veamos? Decidme esto primero,
y después, si me gusta ser esa persona, volveré a subir.
Si no me gusta, me quedaré aquí abajo
hasta que sea alguien distinto…".

Lewis Carroll

El que escribe quiere saber quién es.

Fedra R.

1

Andrea espera en la antesala de la oficina del abogado, estudia la alfombra de lana turquesa de pared a pared y se pregunta qué clase de piso habrá debajo. La oprimen la falta de aire natural y la decoración. Las paredes están recubiertas con paneles cuadrados de madera lisa, intervenidos por conos de iluminación amarilla que revelan cómo se desgajan.

El impulso que la trajo hasta aquí alcanzó para abordar, desde el muelle de la isla, la lancha colectiva, y luego el tren en el continente. Descarga ahora el excedente nervioso moviendo una pierna; el rebote aminora bajo la luz artificial.

Teme haber llegado tarde o temprano.

Luego de encontrar la carta del abogado había esperado un lapso que casi completó su noche-día. Por un período, en tierra continental del municipio de Tigre y las islas próximas a la costa, la explotación turística de parques acuáticos y casinos abiertos sin pausa había alargado los días luminosos, empujados por la luz eléctrica excesiva. El nuevo gobernante había retomado una de las magníficas visiones de Sarmiento: el auge turístico del Delta. Traer a la gente para que gastara aquí su plata. Los satélites mostraban esta pequeña parcela encendida en el mundo, que competía con la ciudad de Las Vegas. Pero aquí se sumaba el oro brillante de la luz reflejada en el agua, formando la letra Delta con los ríos. Los transportes acuáticos y terrestres traían pasajeros a pasar la noche despiertos, se detenían en Punto Tigre para fotografiarse junto a la ciclópea cabeza, que en vez del Jaguar —pantera originaria de la zona— devino un Tigre. Las enormes pantallas cristal rearmaban sus pixeles con diferentes imágenes del gobernante: Tempe, el Rey del Agua. A la luz del neón y de las pantallas, el día continuo parecía incluso posponer la muerte. Pero al desoír la rotación de la Tierra inscripta en el cuerpo, los visitantes, trabajadores y vecinos no durmieron, o cada uno lo hizo en un momento cualquiera. Con el ritmo circadiano quebrado por el continuo lumínico artificial, se hizo difícil convenir encuentros y labores. Saborear en familia fue historia antigua. La noche no abrazaba el sueño ni el delito.

El eje de la Tierra era el péndulo de este reloj primitivo. Cuando el pulso de luz superó los umbrales, el jet lag que sufrió la gente se incrementó hasta replegar los pétalos de la flor circadiana. Y el reloj se detuvo. Se fragmentó el sueño y la vigilia, y planificar se volvió una habilidad incierta. Sin embargo, el exceso de demanda de energía hidroeléctrica quemó una de las grandes turbinas, y luego estalló otra causando grandes daños. Al resto las fueron apagando. Se va restaurando la oscuridad —están los que añoran la luz permanente— junto con los hábitos sedantes. La noche contenida se restablece a través de los resquicios de artefactos lumínicos en desuso.

Pero todavía la gente adora las pantallas, y un resplandor alcanza las islas. Esa mañana, Andrea, ante la probabilidad, a falta de concurrencia, de vagabundear en el continente, se había sumido en la indecisión horaria que aún persiste en estos días.

Pasa a una sala más amplia donde la invitan a sentarse en uno de los sofás de cuero verdadero; se enciman llenando el espacio, enormes y aristocráticos. La secretaria ocupa una silla arrinconada que combina con su escritorio, descansa las palmas sobre la tapa de vidrio. Andrea nota que ese mueble termina con las patas en punta, encapsuladas en bronce, y que las puntas pelaron la alfombra a su alrededor, dejando a la vista fibras sarnosas. *La misma alfombra, el mismo escritorio, tal vez la misma secretaria.* Intuye que este estudio atravesó incólume cantidades incontables de años. *El olor que exuda la alfombra y el cuero es del tufo acumulado de la gente.* Quiere sacar la cabeza afuera.

En el momento de su convulsiva llegada a la casa de la isla, Andrea había tropezado con un cúmulo grumoso de sobres amontonado al pie de la escalera. Luego los había ignorado. Nadie podría confirmar si estuvieron allí sólo un par de jornadas, o tal vez una o dos inundaciones. Los pisó, los desplazó con las botas de goma. Pero una lluvia sonora los lavó y un borde azul maya quedó a la vista. Ese color llamativo la detuvo con un pie en un escalón de madera y otro en el pasto blando. Finalmente, se sentó en la escalera para despegar los sobres de plástico fino. El pigmento antiguo que sedujo su retina había resistido intacto el agua y la luz corrosiva. Distinguió otros colores de empresas conocidas pero amarronados por la intemperie. Su nombre apareció en un recorte transparente; el azul era para ella. Dejó los de su padre —a quien nombraban los demás remitentes— donde estaban. Deseó que se los llevara la próxima crecida. Sacudió el sobre, quedó limpio de greda seca. Lo abrió cuidando la estampilla con las dos islas Malvinas como gemelos unidos por el dorso, abandonados en el mar frío. "Un asunto importante...", "Indemnización...". La carta concluía con la firma cursiva algo tembleque de quien se anunciaba como "un amigo de su padre".

Aunque confirme ahora su apellido a la secretaria, siente que la remanencia de su padre, Sergio Blanco, es como el halo negro de un cigarrillo que ve estampado en un cenicero de Cinzano.

Aparta las publicaciones de tribunales y agradece encontrar una revista de turismo para distraerse del encierro. Una página colorida anuncia las rutas de navegación en la red. Advierten, con letras macizas, rojas, sobre el riesgo del turismo en la internet profunda y difunden en cambio la ruta de la moda y el diseño; se destaca que es ruta blindada, no hay peligro de despistarse entre los sin patria. También hay imágenes del desierto español. Muestran las últimas láminas de agua donde se amontonan cúmulos de aves rosadas. En un párrafo exaltan a Tempe, el Rey del Agua, que cumplió con otro augurio del antiguo Presidente, *el loco* Sarmiento, dando inicio a una exportación épica, en este caso de agua cruda. Deja la revista en su lugar, luego de admirar en la contratapa unas magníficas botas de hule tornasolado. Se venden en todos los talles. Botas de hule para los países donde todavía queda agua, y aquí hay en cantidad. España ya es un desierto, sólo se usan sandalias.

Sale a recibirla el Dr. Tullio. Un hombre viejo, alto, con un traje acerado y un nudo flor coronando la corbata, una versión ilustre de como lo había imaginado. Ansioso, la invita con la mirada. Le toma la mano, la retiene y, para desconcierto de Andrea, se la besa en el dorso. Pasan a la oficina. Se enfrenta al espejo que cubre la pared como en el baño de un aeropuerto. Adelante, un gran escritorio que semeja un elefante sentado sobre sus rodillas ancianas. En la casa de la isla no hay espejos, hace bastante que no se ve, y por un momento se sobresalta. *La casa ciega no me dice nada.*

El abogado sabe que su presencia intimida, cree que es él quien la asusta. Domina a Andrea con un brazo en la cintura, la empuja fuera del espejo, suave pero con firmeza, la guía para que se siente en la butaca. Andrea vigila el sobre azul que resiste ileso en la cartera.

Tullio ocupa su sillón en el despacho, junta las palmas como si rezara, rota sus pupilas hacia arriba y hace un esfuerzo por aspirar el énfasis que cree necesario.

—Querida Andrea, finalmente tengo la palabra. Te esperé varias jornadas. La única dirección registrada en el estudio es la del arroyo Rama Negra.

—Me tuve que ir de donde vivía, en Maschwitz. Y desemboqué en la casa de la isla. —Andrea recuerda los senderos en las orillas. El resplandor y un poco de luna mezclados. Puentes de palos quebradizos. Pájaros y perros. El río bajante había dejado a la vista enormes raíces sujetas a un lodo blando. Esa noche creyó que podía caerle un árbol encima. —No fue cuando llegué, ni al otro día, pero entre las cartas acumuladas encontré el sobre azul chillón del estudio.

En las esperas melancólicas, acompañado de su secretaria, que escatima sonidos y movimientos, Tullio creyó que no alcanzaría esta cita. Ha vivido en un insomnio hipnótico fuera de cualquier huso horario, pero con la aparición de Andrea, calcula, su biografía sumará líneas. Quiere destacarse, por última vez. Ser memorable.

—La amistad con tu padre no fue conveniente pero tampoco perjudicial, y dejó a salvo algunos recuerdos. Tenemos que hablar de su desaparición. Yo puedo determinar lo legal y lo ilegal… —Su voz se ahoga en viejos discursos, vuelve a inspirar con su fuelle viejo para tirar otra línea con mejor anzuelo—, la indemnización es mucha plata. Y lo legítimo es que sos la hija. Ustedes dos tenían una relación muy estrecha.

Le llega un aliento estofado, como si por siglos este hombre no hubiera abierto la boca. Andrea se retrae contra el respaldo de la silla. *Estrecha. Si por estrecha se entiende apretarme con mi padre en cuartos oscuros mientras le sudan las manos para mantenerme quieta…*

—No sé por qué ahora reflotan a Blanco. *Busco en la isla una calma que ni sé qué gusto tiene. Todavía no encuentro un plato, tampoco una almohada que no tenga manchas.*

Andrea había estado en la casa de Tigre cuando era una nena. En alguna avanzada primavera con calores y mosquitos de verano, la casa del Delta fue el refugio para la familia. En realidad, para ella y su padre. Juana, su hermana menor, y su madre, habían continuado como siempre su rutina en la ciudad. Las actividades de su padre la llevaron a descubrir estrategias urgentes en cada cambio que hacía la familia. También en los subrepticios movimientos de noche o en el crepúsculo cuando llegaban personas a la casa de la isla con un bolso pequeño o nada de equipaje. Se escuchaban diálogos sin menciones para evitar el peligro de la memoria. Andrea recuerda el sonido seco al atrancar los postigos y la falta de espejos. *Alguien habrá pasado verdaderas vacaciones, aunque sea un solo día de placer, en esa casa.*

—Mi derecho natural es comunicártelo, Andrea. Era mi amigo. ¿Mi responsabilidad legal? Estoy designado para representarte ante el municipio. Sólo tenés que firmar un poder para que pueda entregarte la plata.

Tullio explica despacio. Quiere apaciguarla, separa las palabras como un catedrático:

—Hace sólo unas semanas, Tempe y su equipo encontraron casos olvidados en este Territorio Líquido, aún sin indemnizar. Lanzó un llamado desde su búnker isleño.

Andrea le detalla, aunque querría irse, que hacía muchos años que no se veía con su padre. Murió enfermo, o al menos eso le dijeron. Al llegar ella a Misiones su cuerpo enterrado yacía fuera de la vista y de toda comprobación posible. Cuando le preguntó a Mirta, la prima del papá, ella le habló de su gato, muerto por causa de la vieja yarará, y dijo que el felino tenía su tumba y también la yarará. Le mostró las tumbas. Esos dos montículos eran más prolijos, más desgranados que la tumba de su padre.

Tullio no quiere que Andrea lo distraiga. Aprieta los puños para retener sonidos y letras. Recurre a sus notas; algo queda.

—Esta nueva rueda de indemnizaciones es un signo de estos ausentes, tal como el humo es el signo del fuego. Vos y tu hermana figuran en la nómina.

—El humo es un halo oscuro —murmura ella, recordando el cenicero de Cinzano que vio en la mesa baja.

Tempe gobierna el Delta de Tigre, donde derrama el acuífero más grande de Sudamérica. Una nueva ley, única posible luego del debate nacional en el que se encimaron voces en un coro ruinoso, propició la división, fraccionando el país en miles de municipios. Esta reforma silenció finalmente el grito de protesta. Borradas las fronteras provinciales, quedó consagrada la total autonomía de cada uno. Pequeños países que se dan la espalda, dueños exclusivos de sus recursos naturales. Tigre era un territorio líquido. Otros municipios quedaron reducidos a sus llanuras chatas, o tierras empolvadas, algunos tuvieron una creatividad inesperada. Tempe, que había fracasado con el turismo, ahora vendía el agua, con la que se había enriquecido desmesuradamente. Pero al intendente le faltaba un público que lo aplaudiera. Por un período debió mantenerse oculto en su búnker, alejado de la prensa. Temía que le plantaran algún terrorista para justificar una invasión y sacarle su agua. Necesitaba endulzar su orgullo. Luego de sufrir su prominencia escondido, apareció como si hubiera salido de abajo de las piedras, delgado e imberbe, con el pelo ensortijado y voz aguda. Esperaba una idea que lo mostrara magnánimo e hiciera circular el dinero.

—Se encontraron trazas genéticas de Sergio Blanco. Aquí, en esta jurisdicción líquida.

—Si mi papá murió lejos, en el municipio de Puerto Iguazú, y la isla fue sólo un refugio ocasional... Tendrían que plegar el mapa para dibujar una cruz en el río Luján.

El abogado se levanta de su butaca, Andrea alza la mano como para detenerlo, ya escuchó suficiente, pero al notar el resto de saliva en el dorso, por el beso húmedo que le diera al entrar, la esconde entre las piernas cruzadas. Tullio da la vuelta y asienta su cuerpo viejo sobre el escritorio. La alcanza un fuerte olor a colonia masculina. La misma que usaba su padre. Andrea recuerda la botella. Cuando era chica pensaba que contenía licor, por el vidrio grueso y la tapa dorada. Pero un día el perfume impregnó el piso de madera del único baño de la casa isleña, luego de que unos hombres entraran a buscarlos. Su propia mochila rosa, desgarrada la tela. Su padre apretándola. El aroma entreverado con su piel que, a partir de ese momento, fue un olor turbio que la agitaba.

Andrea arruga el sobre azul que había traído en la cartera, como si esa sola contracción pudiera esfumarlo.

—Los asesores de Tempe localizaron mi estudio. Y debo orientarte en "el derecho real sobre una cosa corporal", como estas trazas genéticas de tu padre, querida Andrea.

Tullio sabe que en el municipio lo desprecian por un chisme arruinador. Pero él es el único experto en viejos procedimientos que aún vive. Y Tempe rezuma agua y plata y se desvive porque le den las gracias.

Esa mañana Andrea había despertado en coincidencia con un sol blanco de media altura. Eligió un pantalón y una polera entre las pocas prendas que había agarrado al escapar de la quinta de Maschwitz donde vivía con su marido. Revisó la cartera y se preguntó qué debía colocar adentro.

Fue a sentarse en el banco de madera combado y áspero del muelle a esperar la lancha colectiva. Volvió a toquetear el sobre. *Andrea Blanco. Mi apellido. Mi papá explicaba de dónde salen los linajes: "De algún lugar, de animales o de tener un pariente en el clero, como la vecina Abad. Nosotros provenimos de algo que está en blanco". Juana y yo descendemos de una falta.* Se había repetido esto último como una oración e imaginado a su hermana tocando un idéntico sobre azul. La lancha interisleña ya doblaba por un codo del río cuando corrió a verificar si había dejado todo bien cerrado, olvidando que la casa vacía había resistido bien la luz larga y los intrusos. Un dron microaviario se confundía con un insecto alado de múltiples patas al sobrevolar la embarcación como una gaviota insistente lastimando el lomo de una ballena.

Nadie puede vender agua. El municipio distribuyó bombas, purificadores y un medidor que marca cuando no hay más cuota en cada casa. A veces se escuchan tiros de los isleños, cazando drones de vigilancia. Caen al río o quedan enganchados en las ramas de los sauces, pero al rato hay otro patrullando para impedir el libre uso del agua.

Subió con torpeza a la lancha llevando el sobre en la cartera. Aún no tenía la habilidad de los lugareños. La lancha colectiva llevaba pocos pasajeros. Una chica joven que usaba un vestido largo cargaba un bolso con un perro adentro. Un padre y su hijo en silencio y un hombre sucio con ojos lacrimosos, dos jóvenes extranjeros. Algunos más subieron o bajaron en los muelles. Durante una hora de navegación se cruzaron con una barcaza que llevaba tal peso en maderas que avanzaba semihundida, y con otra, almacenera, cargada de garrafas, bolsas de cebollas y papas. Se saludaron con la bocina. Las maderas de cedro resistían bien el agua, y todas las ventanas guillotina, que los mismos pasajeros abrían o cerraban, funcionaban. Aunque estas naves alargadas que Andrea tanto apreciaba parecen no haber cambiado, ahora incluyen tarjetas titilantes de radiofrecuencia que permiten rastrearlas. Aun así mueven un cierto tráfico ilegal de bidones de agua, y en los arroyos más silvestres los isleños esconden cisternas entre las cañas.

Los pasajeros siguieron con la vista las imágenes vibrantes de la pantalla cristal más grande, anclada en la desembocadura del Río de la Plata. Exhibía la cara delgada y sin labios del gobernante local y, debajo, en letras rojas y amarillas: "Tempe, el Rey del Agua".

Andrea conoce que fue un tal Sastre quien comparó este Delta gigantesco con Tempe, nombre del pequeño pero venerado delta en Grecia, defendido por fortalezas y atribuido a Poseidón, y lo llamó "El Tempe Argentino".

A qué dios habrá encomendado Tempe este Delta, se preguntó mientras la lancha partía el río.

Desembarcó en la estación fluvial y caminó hasta la estación de tren. Ya en el centro de la ciudad de Tigre, localizó la dirección entre un puñado de edificios que se apretaban en pocas manzanas. Algunos habían sido casinos y conservaban en lo alto carteles encendidos por tramos en los que apenas se podían adivinar figuras de fauna y flora ficticias.

Subió al ascensor que la dejó en el piso seis, donde comenzaba —engrampada en una virola dorada— la alfombra continua que, en vez de mullida, al tantearla con el pie, le había parecido un piso de musgo que encubría un pantano.

Tullio amplía su exposición de leyes realizando movimientos semisagrados de etiqueta. Cree que la observancia lo protege, que así mantiene cosido lo que se le deshilacha. Con algo de coqueteo, el abogado la quiere incitar a ser parte de un mundo que describe como si se tratara de un paquete vacacional: listas, gente, organizaciones. Hay previsto un encuentro de los Hijos del Delta...

Andrea se siente en una emboscada. Un bautizo repentino por mandato legal. Enlistada con otros en un cuaderno que él le está mostrando. Nombres apretados por una caligrafía minúscula.

Tullio le toma la mano nuevamente y pasa el costado rugoso del índice por el surco entre dos dedos. El tacto en esta hendidura le provoca a Andrea esconder otros pliegues. El perfume la marea y la hunde en la butaca. Comienza a gesticular como si aún no supiera hablar. Niega para que no le embuchen esta papilla. Sacude la cabeza con un no cada vez más fuerte mientras tironea para liberarse del abogado que mantiene su dedo en esa pequeña entrepierna. El hombre insiste con fragmentos acuñados con su profesión de palabras: "En el pasado se había señalado vista ante la ausencia de dientes; jurisprudencia por contradicción en la falta del cuerpo. Ahora obtenemos rastros antes imperceptibles en los ríos". Engolado con la resonancia de sus dichos, se distrae. Finalmente la suelta. Andrea oculta rápido la mano sometida.

El abogado se organiza: presenta papeles, sobre ellos una elegante lapicera.

—Bueno, en definitiva, sos una Hija del Delta.

Andrea apenas puede balbucear:

—Mi papá, cuando nos mirábamos juntos en un espejo, decía: "Ídem, decime ídem, sos igual a mí". Era chica, y en ese juego podía sentir que éramos pares. —Andrea toma la lapicera y sobrescribe en el documento legal, para horror del abogado, con grandes trazos: A = A.— Mi padre me escribía eso y me lo daba. Yo guardaba ese papel con su letra. Y cuando él no estaba, me llamaba por teléfono, me decía ídem, y con eso bastaba.

Tullio levanta un dedo rígido multiplicado en el reflejo:

—Soy jurista y doy fe —se inclina en una reverencia—. Él fue mi amigo y vos la hija.

—No, no, yo no soy igual a ellos, a los hijos de otros en estas listas, porque aquí —se toca el pecho, se señala—, no hay nadie —y con puños y voz—, no soy hija, pero no porque no haya padre sino porque ¡no hay hija!

Tullio escucha, más bien mira descreído la explosión de Andrea. ¿De qué habla?, se pregunta el abogado mientras aleja los papeles oficio arruinados. Él tiene anotados en su agenda la firma del poder y la continuación del trámite, y no le gustan las dispersiones ni las diletancias de sus clientes. Desdeña la escena. En un gesto de autoridad, levanta unos grados la barbilla y continúa:

—Es la misma ley para todos, como vos dijiste: ídem para todos. Tenés que firmar este poder.

La intimidad forzada entre ella y su padre, cada vez que debían esconderse, mientras su hermana y su madre continuaban en la ciudad, la había llevado hasta aquí, hasta esta puja en que el fétido abogado la acorrala.

Andrea se levanta. Aleja el cuerpo. De los documentos y del abogado. El escritorio elefante la espanta, recién se da cuenta de que las patas son verdaderas y sostienen la tapa forrada con la piel.

—Éramos lo mismo —dice entre lágrimas detenidas—, no hay padre, no hay hija. No voy a firmar.

Trata de recomponerse. Dice que ya lo llamará, saca una tarjeta de la caja de plata que brilla sobre la piel cuarteada. La agita delante de sus ojos. El abogado palpa los bolsillos de su traje, le extiende un papel mientras le demanda contactar a un consejero llamado El Galo.

—Él te va a explicar —y agrega, simulando jovialidad—, es un tipo talentudo pero roto.

Antes de salir del despacho, Andrea se mira y confirma una vez más que, aunque sus pómulos sobresalgan y ahora su pelo también caiga largo, ella y Juana siempre serán diferentes. Se pregunta qué hará su hermana cuando acuda a la cita con Tullio. Quiere correr fuera del edificio, pero en la antesala la secretaria, munida de unas carpetas, le cierra el paso. Queda detenida en medio de los dos.

Tullio observa, ahora reposado, señor del lugar, parado en el rellano como si el marco de la puerta lo volviera un cuadro. Andrea se da vuelta lentamente y él la sujeta con un vistazo feudal, una coerción que la obliga a bajar la mirada. De pronto quiere hacer un papel distinto, le sonríe jugando con su huida, se imita a sí misma volviendo sobre sus pasos. El hombre se acerca, le ofrece una caja que le acerca la secretaria y espían juntos por un breve instante. Contiene cintas de voz, postales, y otros objetos como un cortaplumas y escudos de felpa pertenecientes a clubes de Europa.

—Cosas de Blanco.

Andrea no cree en estas cosas. No quiere que algún recuerdo la sitúe ahí adentro como una cosa más. Y ahora teme volver a la isla; que los humedales con sus mareas de río la apresen en la casa que fuera el refugio de su padre.

Retrocede unos pasos, pero Tullio alcanza a soltarle la caja en los brazos.

—Es mucho dinero —le grita Tullio mientras la ve alejarse. Pero la impostura le genera una gárgara que encima las últimas palabras—. Además, viene tu hermana.

2

Juana se acuesta en el sofá de su casa para atravesar la noche que a ella, oscura o luminosa, nada le cambia. La computadora prendida, brillante, emite ruido blanco y la acompaña. La network para la que trabaja no la requiere. Se levanta por el teléfono que suena. Sale de la cómoda postura lograda con almohadones para aliviar su espalda.

A Juana la había moldeado el teatro al que la llevaba su madre desde que era una beba, y hasta la adolescencia había tenido una condición emperifollada. Imitaba a diario en el camarín el montaje de ropas y maquillaje, pero luego se fue desarmando por capas. Sabe que ahora es una vara desnuda de follaje.

Las habían repartido: madre noche Juana, padre día Andrea. Crecieron a contraturno, y Andrea asimilaba el fútbol y la militancia. Juana no conocía el refugio del Delta y Andrea nunca había estado con la madre en un camarín. La última vez que se vieron, hacía algún período en la quinta de Andrea, fue durante un fin de semana, invitada a un almuerzo que se alargó demasiado. *Con esa gente vive mi hermana*. Aunque no tiene noticias ciertas de su vida, aún se pregunta para qué fue aquella vez. Creyó entonces que no podía poner más excusas para no ir a esa quinta sombría en Maschwitz donde vivían Andrea y su marido.

El teléfono sigue sonando, lo alcanza deseando hacerlo en el último timbre, para que este acierto cabulero le mejore la jornada. Es Andrea, le habla de "un amigo de papá, abogado". Juana no soporta su voz, no le sorprende que sea su hermana la portadora de noticias referidas al padre de las dos. La enerva su pregunta: que cuándo va ir al estudio del abogado.

Juana le contesta que no sabe nada, que no recibió ninguna carta azul, ignora de qué habla. Corta. Siente la furia fresca.

De pronto el sillón no es más que un revoltijo. Vuelve a disponer los almohadones pero ruedan descontroladamente. Intenta equiparse con una frazada y una película que la salve de estrellarse. Lanza una ristra de sinónimos de odio. Apaga y prende luces aunque impere la luz afuera y finalmente, agitada, se detiene para observar si el almohadón alargado va a compensar la curva de su cintura. Finaliza el turno de la network, que atiende en su casa desde hace algún tiempo, con el sonido electrónico que copia una campana. La computadora reposa con un salvapantallas de cuarzo lechoso, un brillo grasiento, y murmura en un solo ruido todas las frecuencias.

Engarza la conversación telefónica con otras que mantiene con su hermana en la cabeza: Estoy embarazada, voy a ser madre, y subraya: Y vos no.

No sabe nada de ningún abogado ni le interesa. Su vida fue la de su madre, y no quiere abismarse en más recuerdos. Puso punto final a su familia, sin embargo, hace equilibrio para no caerse del rencor que la sostiene.

Lleva ya casi siete meses de embarazo y de este ensayo de conversación. Piensa que contárselo y no contárselo a Andrea es igual de delicioso. Se deleita imaginando la sorpresa en brazos. Duerme unos instantes, a salvo, en su rabia.

Un año atrás, Juana trabajaba en uno de los ex casinos reutilizados del continente. Una oficina alargada donde encolumnaban a los empleados como en un tren de vagones abiertos. Contaban con cronómetros para medir en fragmentos el día continuo. Desde esa oficina facilitaban como traductores online consultas médicas que se realizaban en el Hemisferio Norte. Al pobre inglés que hablaban los hispanos se sumaba la incorrección del español de los doctores, volviendo peligrosa la situación. Se conectaban entonces, a través de la network con los traductores y ellos intercedían entre ambos. Equipados con diccionarios científicos y ayuda en internet, descifraban dolencias y diagnósticos. Redactaban anuncios demoledores y pocas buenas noticias.

Comprimidas durante la "edad de oro" hasta ser minúsculos diamantes, la alimentación de las computadoras había vuelto a ocupar toneles de energía expandida. Ahora que estaban rascando el fondo de la energía eléctrica disponible en el municipio, un ronroneo de bestia grande se colaba en la sala.

En uno de esos espacios indistintos estaba Juana, uno de los más de treinta jóvenes que manejaban las terminales. Sus compañeros la llamaban Quale. Todos menos Dalezio, el psicólogo extrasomático responsable de evaluarlos en su relación con los consultantes online. Quale y otros términos de la cibernética, la relación entre la computadora y el hombre, eran de uso común en la capacitación que recibían. Dalezio, apasionado del estudio de la mente contemporánea, les había explicado el significado de un

Quale: "Ustedes pueden interpretar en qué situación general y particular están los pacientes a quienes les prestan asistencia online, pero no pueden ser ellos. El Quale es el vacío explicativo entre lo que ustedes interpretan y la sensación de esa persona del otro lado del mundo. Lo doloroso del dolor es privado y único".

Dalezio intentaba calmar la ansiedad que padecían los traductores. Les había leído un artículo de Nagel titulado: "¿Cómo es ser un murciélago?": "Todos pueden decir cosas acerca de esos mamíferos alados, hay miles de estudios disponibles, pero nadie puede tener la experiencia de *ser* uno de ellos". Aquella vez, Juana dijo que se sentía aludida por la nocturnidad en que había vivido desde que era una nena, y se interesó por las actividades de los murciélagos. Creyó que, al igual que ellos, había nacido con el ciclo circadiano invertido. O tal vez en su infancia, sujeta del vestuario que disfrazaba a su madre de alguien, en cada función en el teatro, aprendió a florecer de noche. El continuo día del neón y de las pantallas, mientras resplandeció el continente, no la afectó. Ella siempre había dormido cuando quería. Y se anotaba en los turnos de la network que nadie ocupaba.

Sus compañeros se rieron de sus preguntas acerca de los murciélagos, pero Dalezio aprovechó para reforzar de manera comprensiva que el Quale —la percepción subjetiva— es personal, y que cualquier comparación se vuelve imposible.

No era reservada. Regida por un vector desconocido para el resto, opinaba, pero nadie entendía su punto de vista. Si en la media hora de descanso un compañero mostraba una fotografía de las vacaciones rodeado de su familia, Juana notaba que sus colegas se imitaban unos a otros profiriendo ohh o ahh con leves diferencias de entonación; ella, en cambio, percibía impactada la novedosa textura del papel fotográfico. Volvían al trabajo satisfechos por haber compartido lo que creían era el mismo, exacto sentimiento. Ella no creía en esa empatía sensual.

Por eso le llegaban imágenes de vampiros a su pantalla con fondo negro. Al principio la habían llamado Vampir, pero luego, ante sus inhabilidades sociales, concluyeron que no podían ser ella y comenzaron a llamarla Quale.

En los intervalos entre consultas, todos los empleados recibían publicidad en sus pantallas. Difundía la ruta de navegación de la moda y el diseño, se destacaba que era ruta blindada. Advertía sobre el riesgo de bucear en la internet profunda. Sobre el peligro de volverse extranjero y así despistarse entre los sin patria. En videos donde aparecía mostrando su cara, Tempe comparaba sus rutas seguras en internet con las nuevas rutas viables de navegación en el río que creara Sarmiento a fines de mil ochocientos para atraer a la gente. Rutas protegidas de los piratas que asolaban a los visitantes del Delta.

Últimamente se difundían nuevas actualizaciones de leyes municipales. Los legisladores disparaban constantes ajustes a la sempiterna Ley Seca que impedía el libre comercio del agua. Pero en esos días era la Ley de Hielo la más anunciada: no está permitido salirse de las rutas de navegación autorizadas. Algunos saltaban de la internet superficial como si fuera del suelo de una isla, para bucear en la red profunda, enorme como la inmensidad secreta del agua. Buscaban toda clase de servicios ocultos. Allí existe el comercio ilegal del agua: drogas y mercancías combinadas con este disolvente universal. Quien cruce esas fronteras se vuelve extranjero, y la extranjeridad está penada. A estos buceadores sin patria se les aplica la Ley de Hielo y se les impide volver a navegar en el mapa de internet establecido.

Desde aquella conferencia sobre Nagel y los murciélagos, Dalezio se intrigó y planeó que Juana estaría mejor trabajando en su domicilio, desde una terminal remota. Conociendo los riesgos de la navegación solitaria, Dalezio iría a la casa a supervisarla.

Por eso, antes de acercarles a los directivos la propuesta de que Juana trabajara con la red a distancia, Dalezio se preparó con metáforas para ilustrar el riesgo de descalzarse de la network. Les describió la vida de las amebas ciegas, que desconocen el adentro y el afuera, o el estado hipnótico en el que se puede comer o hacer una llamada sin estar despierto. Luego forzó un poco el discurso para tranquilizarlos y comparó a Juana con los trotadores de Kenia, a quienes nada distrae. O con el goleador autista que sigue la pelota sin detenerse.

Pero lo que había observado con verdadero temor es que algunos buceadores solitarios comenzaban a deambular más allá de la web profunda. El buceo continuo, dejando atrás Atlantis, Las Marianas u otras direcciones exactas en las profundidades, encerraba aún mayores peligros. De a poco estos buceadores iban colonizando la alteridad que ellos mismos habían engendrado y ya no podían volverse personas. Abandonaban su cuerpo en el sillón, delante de las pantallas.

Dalezio había contactado a un extranjero que se movía de manera transversal para que no lo encontraran, y como psicólogo extrasomático había intentado darle a este ser digital, algo del espesor que conferían las leyes y fronteras en las redes acostumbradas. Pero aún no conocía el destino final de la alteridad en esas modalidades extremas, "liberada de huesos y carne". Y temía por Juana.

Sentado en la cafetería de la gran oficina, Dalezio dibujaba conjuntos sin olvidar el contexto, círculos para incluirla en el sistema. Ah, se preguntaba, ella es parte de la empresa, pero qué parte representa. Quería protegerla. Sin embargo, sabía que al aislarla la exponía a ese submundo anárquico. Esperaba ansioso, cada vez, el turno de observación en la casa de Juana.

En una de las primeras supervisiones, luego de que ella abandonara su cubículo en la oficina, habían retomado el tema del Quale: "Es incomunicable y subjetivo", repitió él parado detrás, mirándole el pelo largo y sedoso que rodeaba la nuca. "Como la rojez del rojo, nadie puede asegurar que vemos lo mismo." Pero esa afirmación no los acercaba, como Dalezio hubiera querido, más bien confirmaba las distancias. No era posible sentir igual. Sólo metáforas de aproximación, el lenguaje era sólo un intento de cercanía.

Al final de esa tarde que tironeaba de la noche como un telón que se resistía a bajar del todo, Juana tradujo en voz alta dándole cadencia a un diagnóstico como si fuera una canción. Él acercó una mano para apaciguarla pero se detuvo, se sentía inflamable y temía la insensatez.

Dalezio usaba el pelo largo y casacas sin cuello, aunque no podía asegurar que hubiese dejado de ser el de siempre; cuanto más se sumergía en la red para encontrar los nodos de esos extranjeros y perfeccionar la habilidad de abrirlos para seguir sus trazas, más se desdoblaba. La oferta en la web profunda para probar drogas nuevas, mercancía ilegal disuelta en frascos con agua, como también la labilidad y el aislamiento de Juana lo tentaron.

Ese día de supervisión, Dalezio pegó el estómago al respaldo del sillón como si pudiera atravesar el relleno. Quería incluirla, casi más que tocarla.

Ella atendía más líneas de diálogo médico-paciente. Los seres incorpóreos a quienes asistían en la network eran, a diferencia de los extranjeros que se movían en las redes profundas, personas animadas por dolores o molestias orgánicas que vivían a miles de kilómetros de distancia.

Juana tradujo fragmentos leyéndolos con voz marcial, masculina, como si cada frase fuese una orden: "Atrasos; el semen se me sale; hasta el agua la vomito; me sudan las piernas y me salen granitos; tokarme me duele un poko; cómo hago para que mis patillas krezcan tupidas; en marzo k me tenía k aber bajado. —Dalezio reía.— Retrasos, embarazos, leche, kistes y kedar en una cita". Ayudó a concretar visitas a cirujanos, dermatólogos y redactó desvaídas explicaciones de los médicos.

Al rato disminuyó la actividad en las consultas, y un aire de equipo pareció elevar un poco la cortina —el grueso espaldar negro del sillón— entre ellos. Y la K, que parecía erigirse en letra primordial del alfabeto, los hizo carcajear. Parecían compartir la misma tierra natal, o al menos eso pensó Dalezio cuando tocó la piel de Juana sin notar líneas divisorias. Se desposicionó del lugar quieto de efigie supervisora y quedaron cara a cara. Juana, teatral, le dio un beso regio.

Dalezio observó que su conejillo de indias babeaba mientras tenían sexo, volviendo jugosas las almohadas. Semejaba la baba del gusano de seda. Se preguntó si esa viscosidad sería para ellos una traza.

Juana, en apariencia impalpable, se dejó llevar con mediana claridad a sensaciones arrinconadas en el camarín del teatro que ocupaba con su madre: manos grandes en su cuerpo chico. Fue induciendo a Dalezio a su juego de infancia, dejando que esa información la encendiera. Y babeó, como siempre que invocaba el sabor del maquillaje adentro de su boca.

Dalezio ya se vestía, pero ella se puso una bata. Se impuso la secuencia que observaba sentada en el suelo, con ojos redondos, ávidos por aprender la rutina de su madre en el teatro. Fue hasta el espejo del baño a acomodarse el pelo húmedo. Un poco de crema en la cara. Pero le sobraron gestos por la ausencia de pinturas. Se vistió con la remera de dormir y el pantalón que sería, a partir de ese momento, su uniforme en el teatro de su casa. Dio un último vistazo, como lo hacía su madre antes de salir del camarín, lista para volver a su sillón.

Atolondrado o majestuoso —según sus desiguales estados de ánimo—, Dalezio intentó repetir el encuentro o siquiera argumentar un poco, pero ella tendió un cerco alrededor de su sillón y no compartió los cambios que experimentaba. Juana veía agrandar su cuerpo para que allí creciera otra persona, como si portara una recámara que no la involucrase más allá de cargarla. Pero al supervisor lo imantaba esa panza: se sentía el otro polo de la preñez que avanzaba. Y desviaba su vista de la pantalla para observarla desnudada entre el pantalón y la remera.

Desde que trabajaba en soledad, Juana seguía traduciendo en voz alta, poniendo ella la misma entonación del país de origen del paciente. Dalezio escuchó su voz aniñada de acento puertorriqueño y, luego, el cubano de tono carrasposo; el supervisor se preguntó si lo haría también cuando estaba sola. Se lo hizo notar, pero ella no sabía de qué le hablaba. Juana continuó usando notables acentos latinos al traducir, amplió su arco de tonos bajos y agudos para acompañar esas voces escritas en el otro lado del mundo.

Últimamente todos los casos que atiende son de mujeres embarazadas. Lee, sentada delante de la pantalla en su casa, los tormentos que infligen esos estados: desgarros, pérdidas, abortos. Detesta a los médicos, su indiferencia ante el embrollo idiomático.

Sobre la piel extendida del estómago, última capa elástica y viva entre su interior y el aire, Juana observa la línea negra, la rúbrica de su embarazo que atraviesa su abdomen redondo. Cuando suena la campana que reverbera simpática en una ventana lateral, inicia la asistencia. Entonces, cuando termina su turno en la network, y Dalezio se retira desanimado, ella vuelve a plegar los brazos en la oscuridad de su cueva y, a pesar de las advertencias, se alimenta en las redes profundas.

3

Andrea pierde la última lancha interisleña. Abriga con la otra la mano sometida.

La nueva concertación de lapsos temporales y el convenio de Apagón Nocturno no sólo dejaron algunas estrellas a la vista; también normalizaron —aunque todavía con algo de desfasaje— acuerdos, empleos y delitos.

El conductor de un puesto de lancha taxi puede llevarla a la isla, pero antes tiene que hacer otro viaje. También puede Andrea llegar a la casa por el continente, por senderos y puentes, pero es una caminata que prefiere no repetir.

Una larga fila de buques de poca eslora espera en el río Luján para bombear su carga de agua. La estación de bombeo está fuertemente vigilada. Es asimismo una enorme planta depuradora de *bichos*; entra agua cruda y cargan el agua inerte. El sol abrillanta el óxido de otros buques abandonados, y desnuda fachadas antes enlucidas de los clubes de remo.

Al salir del estudio había llamado a su hermana. Pero cuando le preguntó por la carta azul malogró la charla. Andrea se aprieta los labios con cuatro dedos en un gesto tardío para silenciarse. Tenía noticias, y las noticias no se callaban. Un tema en común para sus vidas distintas. Pero Andrea se siente deshabitada, ya no se adueña de los recuerdos y comienza a olvidar cuales eran esas diferencias. El impulso de llamar a Juana había sido como ese sol, que no sólo desnudaba, eran rayos que laceraban metales y fachadas. Intuye que pasará mucho hasta que vuelvan a comunicarse.

Entra en un club de remeros, el Canottieri Italiani. Los hay de alemanes, suizos, españoles y también —le había dicho un capitán— uno de judíos, pero no se llama club de judíos sino Tahiel.

Desea un té, pero los empleados son un retrato de su propio abatimiento. No pide nada.

En la única otra mesa ocupada conversan dos hombres rodeados de papeles. Le parece entender que negocian la concesión del restaurante. El hombre del club recalca las erres, olvida eses, y sus manos cuentan con un lenguaje de señas propio. Cada tanto estira el cuello de la camisa para airearse, mientras destaca el edificio de los años veinte. De puro estilo veneciano. Y que vino el príncipe de los Abruzos a presenciar la primera regata.

La camarera se apoya en el vidrio translúcido de la puerta de madera y su figura oscurece la exposición ennoblecida del dueño. Menciona a *los cautivos* como los miembros que consumirían en el bar, también hace referencia a la cuota del agua. Hay una promesa de ampliación de la cuota.

—Tempe —comenta acercándose y haciendo señas al otro hombre para que se aproxime—, el Rey del Agua, tenía un *nonno* en Carrara. Dicen que cuando va a Buenos Aires, enfila directamente al Monumento de los Españoles a contemplar el sector de "Grandes sus destinos", y allí se detiene ante la escultura de un nene desnudo. Al parecer ese bloque de mármol proviene de una cantera de su familia.

Andrea observa a su alrededor esperando encontrar algo valioso en el viejo edificio y, desde su mesa, ve un mural rodeado de venecitas que forman intrincadas viñetas sobre una pared en lo alto, en un descanso de la elegante escalera. Un barco fondeado rodeado de hombres y mujeres con los torsos desnudos, en el agua. La llegada de Colón. Pero en la leyenda dice: "Américo Vespucio". Se pregunta por el error histórico que dio nombre al continente, quince años entre la llegada del genovés y el bautizo de América. La asalta la incomodidad del título de hija, como un continente a la espera de que algún relato la confirme. Por ahora las palabras del abogado rebotan en su interior hueco.

Según escucha, el posible comprador asevera que los cautivos no son tantos. El entusiasmo de la charla se apaga. La camarera se despega del vidrio y se retira desanudando el delantal negro. Ingresa algo más de luz, Andrea mira la caja de madera clara sobre la mesa y por primera vez piensa en lo que haría con el dinero.

Viaja sentada en el banco trasero de la lancha taxi que tiene un sobretecho abierto a sus espaldas, las manos agarrotadas sujetan las pertenencias de Blanco. La decepciona tener que buscar el soporte de audio adecuado para las cintas de voz. La convivencia de tecnología transformó el mundo en una enorme ferretería con infinitos cajones. Los otros objetos no le interesan.

La caja se humedece con salpicaduras. *En este mundo no aplica la nostalgia. Hay que desconfiar de las biografías y de los cuentos que uno se cuenta.*

Sin embargo, repasa su llegada a la casa de la isla. La noche en que escapó de su marido manejó arriesgadamente desde la quinta de Maschwitz hasta el borde continental del Delta. Tomó la Panamericana hasta el ramal a Tigre y, ya en la ciudad, luego de cruzar un puente, condujo por la vera del agua hasta que desapareció el asfalto, dejando atrás construcciones del esplendoroso pasado de la zona como el que fuera el Tigre Club, hasta el final del Paseo

Victorica. Abandonó el auto y fue por un estrecho sendero de tierra creado por el ir y venir de los isleños. Soltaba palabras para evitar el miedo: tigre jaguar río. Su papá le había contado que los colonos descubrieron el jaguar cuando llegaron al Delta, y Andrea, todavía con las pupilas y el entendimiento estragado, había esperado que un gato grande y crepuscular la acompañara. Pero se comían las gallinas de los gringos, y los mataron hasta extinguirlos. Podían verse esos tigres medianos dentro del agua transportándose a la deriva en las corrientes. Jaguar tigre jaguar. Llegó al arroyo Rama Negra con los pies alertas y la suposición de la muerte.

Una bruma blanca resplandecida por el foco del vecino envolvía la casa. Se acercó sigilosa como el felino. Buscó el llavero de su padre debajo de la maceta barrosa, reventada de achiras. Se detuvo y, antes de abrirse paso a su guarida, el paisaje ribereño pareció limpiar las imágenes amenazantes que traía, estáticas, en las retinas.

Un viento blando hamaca la lancha. El ruido del motor aturde. Se siente en malas condiciones. Calcula que la salvó repetir mecánicamente ejercicios de huida que ignoraba conocer tan bien. Tal vez, repasados mil veces con su padre cuando era una nena. Esa alianza con el río la obliga a confiar un poco, pero las salpicaduras color té sobre la caja la hacen sospechar que cada gota esférica, dentro de su cúpula opaca, esconde vida amenazante.

Al llegar a la casa cierra uno a uno los postigos de madera que la ciegan, para así volver la noche noche adentro de la casa. Uno se zafa y la golpea. Se frota el brazo, calcula los descuidos que sufrirá antes de recordar cómo moverse en su interior, desde aquella época en que era una nena liviana arrastrada por su padre trepidando furia. Mira el piso, se calma. Como orden de lo viejo, hay capas de pintura cremosa en el piso de madera, unas sobre otras como estratos de manteca pincelados en un pan.

Había semanas enteras en que, sin poder salir, con los postigos cerrados, escuchaba a su padre en la penumbra como única voz, a veces murmurando, otras contándole historias de la zona. Se acostaba a dormir en la misma pieza con ella para no perderla de vista.

Una vez en la cocina revuelve cajones y alacenas en busca en algún recipiente, cuchara y plato para prepararse un té. La canilla activa el display que controla su cuota de agua, emite un sonido agudo, escanea el recipiente y los números rutilantes que decrecen la ajustan a la medida de la taza. La caja urna de Blanco espera sobre la mesa pero Andrea no se atreve a tocarla. Teme que ese rejunte de objetos dispares formen un *puzzle* inesperado. Y que ella misma sea una pieza plana sin silueta reconocible.

Va hasta la galería elevada. Al igual que el resto de la vivienda, está construida sobre pilotes de madera para mantenerla a salvo de las inundaciones. Se sienta en un sillón de mimbre crujiente, de brazos curvos; se acomoda, y enseguida el junco seco vuelve a emitir su sonido natural.

Observa los montículos de tierra que rodean la propiedad como un paisaje de sierras viejas. Albardones gastados por el oleaje de las lanchas que ya no brindan ninguna protección. En un momento el agua podría cubrir el muelle, el parque, y dejarla aislada por un lapso que ella no sabe descifrar. Cada día ignora qué esperar.

Sale al parque; descubre el pasto encharcado. Ve sus pies transparentarse en la lámina de agua. Llega al borde tejido de la isla. *Esta isla no es mía, es una más en esta ciudad hidráulica. El sol fuerte y el río lento, jaguares silenciosos flotando quietos en la deriva.* Mira el arroyo ambarino que separa las islas. Estudia el perfil de la costa enfrentada. *No es tierra ni río.* Más arriba, una pantalla cristal muestra la cara de Tempe, el Rey del Agua. Sus labios finos y grises modulan. *Tal vez canta.* El audio canalizado no llega hasta sus oídos: se activa durante treinta segundos para todo aquel que pasa por el río. Durante un período Andrea había trabajado en un hospital; había estudiado el lenguaje corporal de los bebés y hacía diagnósticos tempranos. Por eso ahora, aunque no escucha las palabras, detecta cómo le cuesta a Tempe sostener la cabeza. *Pupilas fijas, cuello inclinado. Parlotea, usa las manos sin despegar los codos. Este hombre tiene problemas.* Por un momento parece que le habla a ella, que menciona la isla, la casa, pero el spot trata de las Almadrabas. Las amarras en el medio del agua.

Andrea nunca fue hasta la enorme cruz de hierro donde, en la profundidad, se amarran los ataúdes como ostras cerradas. Son cementerios en el río. Tempe modula cuatro palabras que Andrea adivina: Los Bajos del Temor, la cardinal de las Almadrabas. Nota cómo repite dos veces el nombre de ese canal ahondado por unos ingenieros japoneses, expertos en fosas abisales. Ahora es una fosa, un cementerio. Lanchas negras con piso vidriado navegan transportando deudos, van a visitar a los muertos suspendidos en un gel de formol dentro de cajones transparentes. El scan sonar refigura rostro y contorno del cuerpo, la perfecta resolución del alcance despliega la imagen captada en el fondo del barco como en una pantalla. Las ondas retornan y, de a uno, los rostros aparecen y desaparecen al igual que los peces que nadan debajo de la lancha. Los capitanes ofician de capellanes —los llaman Capellanes de Agua Dulce—; luego de unas pocas palabras de consuelo, levantan anclas y estelan el agua mientras los deudos descargan penas en el viento húmedo.

La pantalla exhibe ahora las botas de hule tornasol del Rey del Agua. Las que anunciaba la revista que vio en el estudio del abogado eran un símil de éstas, que son únicas y truenan su estirpe.

Ahora continúa el otoño caluroso, otro día soleado de cruces doradas reflejadas en el arroyo surcado por una culebra verde y negra que nada muy bien. Recorre unos doscientos metros de tierra esponjosa hasta el río Paraná. El paisaje se abre en una anchura ventosa y agitada. Un buque aguatero de bandera noruega está cargando su cisterna con miles de litros de agua cruda en la estación de bombeo. Más adelante está la Isla Grande. Allí, ante la prohibición de grandes edificios luego de que el primer búnker de Control de Aguas se hundiera, los paredones nuevos se construyeron bajos y extendidos. Es una construcción flotante que se eleva o desciende según las mareas, abrazada a cuatro pilotes de acero clavados en el lecho barroso. En el jardín de invierno colmado de plantas y pájaros que oculta la fortificación, dicen que el Rey del Agua rocía con agua cristal su pequeña selva. Cada aspersión vale oro. Tampoco dilapida. Y que un pato inflable colosal una vez desfiló por los ríos guiado por un remolcador e ingresó al búnker por el muelle levadizo.

Incómoda con el aire húmedo y caliente, Andrea mira el enorme buque naranja que aguarda fondeado y a los otros que esperan en fila. Algunos miden más de cuatrocientos metros, almacenes flotantes de agua cruda que luego de un largo viaje fondearán delante de la costa en Europa, hamacándose en el mar salado, esperando a que el precio del agua suba. Las catástrofes, las rajaduras en los tanques, mezclan aguas dulces y saladas. Cuando eso sucede, el marino evita estas aguas muertas que detienen los buques como si encallaran. Las aves se alejan hasta que el derrame invisible se disipa.

Cerca de la costa, ve a una familia embarcada en una lancha verde, despintada por la intemperie y vuelta a pintar muchas veces, que se detiene en el río Paraná zozobrando en la corriente, batida por el chasquido de minúsculas olas. El hombre mantiene un brazo estirado hacia atrás, sosteniendo la *pata* del motor que regula con poco ruido, mientras con el otro se saca una gorra gastada como el barco, de alguna marca conocida. Los hijos y la señora se mantienen sentados, erguidos, en el único banco. Ella viste elegante y los chicos están peinados con una pizca del agua que sale de las canillas. Pasa un barco de mayor eslora y los hamaca fuerte. Esperan que amaine, como si en nada pudieran hacer otra cosa.

Entonces ve que la mujer aprieta con trastorno algo envuelto en una manta. Lo destapa en un rato de calma entre lanchas rápidas. Es una pequeña vasija, una urna metálica que contiene cenizas de algún muerto cercano. Ni en el continente, tampoco en las islas, hay cementerios por la poca profundidad de las napas. Y esta familia no puede acceder a los precios que pide Tempe por un lugar en los cementerios de río. Más caro, el amarre del féretro cerca de la superficie. Se sujetan en carrusel, en alguno de los diez niveles de profundidad. El hombre, sin soltar la manija del motor, aflojando la gorra en el fondo del barco, con la mano libre saca vasos de plástico de un pequeño bolso. Cada uno agarra el suyo y retira de la urna una porción de ceniza clara. Los chicos sostienen su vaso cargado con el tío, la abuela, algún pariente. La mujer dice unas palabras que por efecto del agua se oyen en la costa aumentadas. Andrea aprendió que hay que tener cuidado con lo que se dice en el río, porque el agua aligera el sonido, que llega a la costa nítido. No pases criticando una casa —le habían dicho—, comentando su abandono, el descuido del muelle torcido; se deja al paso la amargura del mal comentario.

—Río de Dios —dice la mujer.

Andrea había visto una iglesia preciosa, roja y blanca, la única que se salvó de ser arrastrada en la última crecida del Paraná, en un verano caliente que atrajo palometas, peces carnívoros que atacaron bañistas. El cartel de madera decía "Iglesia Río de Dios" y mostraba una lengua de agua que se dirigía al cielo.

Cada uno vuelca en el río marrón, desde su vaso, una porción de restos óseos. *Más muertos en el agua viva. Esta muerte tiene forma de ceniza. ¿Qué forma habrá tomado la muerte de Blanco?*

La invade un ligero temblor e inhala una bocanada de aire acuoso. Quiere fiarse, como si esta certeza fuera más vital que respirar, de que en los días en Maschwitz-Auschwitz —como su marido denominara a la quinta— se le haya extinguido el último miedo posible. Sin embargo, Tullio, invocando a su padre muerto, le devuelve un pálido reflejo.

Regresa por la orilla pisando un pasto débil, no quiere más barro en sus suelas, acarrear greda cada vez que camina. Los pantalones flojos se acomodan en las caderas, las botamangas se tiñen con verdín. Siente en la espalda la caricia del vaivén de su pelo nuevo. Cortado a la *garçon* desde que era una nena por fidelidad a su padre, se devela ahora con vigor de pelo fuerte. Imagina a su hermana junto a Tullio en la oficina. Aunque Juana le haya dicho "no saber nada", está segura de que sí fue a lo del abogado con su sobre azul. *Conversan amables sobre el futuro. No temen las bifurcaciones inesperadas que dan vuelta tu vida. Repasan cuestiones, fragmentos secos, sin debates ni llantos. ¿Habrá notado la alfombra turquesa? ¿Y ese aliento ancestral, fermentado, de muchos abogados que vuelca sobre sus clientes? ¿Habrá firmado dócil o la habrán derivado, como a ella, a ese Galo? Juana se adorna para ir a una oficina; mamá la engalanaba.* Pero hubo algo en la voz de su hermana en el llamado; hacía mucho tiempo que no se hablaban. Notó una voz contenida, seminatural, seguida del tono monocorde del teléfono después de que le cortara.

Quiere tocar el agua. A pesar de las advertencias acerca de meterse en el río, de las cenizas o tal vez por eso mismo, adelanta unos pasos sobre la barranca y al agacharse patina en el limo. Deja que su cuerpo entre en el arroyo como si no tuviera huesos. Abre los ojos: distingue el sedimento, partículas en suspensión que flotan sin disolverse. Limo arcilla cenizas. Oye un rugido y gira elástica como un envoltorio en el líquido; teme que la lancha pueda arrollarla, pero es el agua que acerca el rumor de un motor lejano. Se va sumergiendo mientras su ropa se lava. Casi ve las patas de un jaguar fabricando remolinos con destreza sedosa. Las imágenes amenazantes que aún permanecían se van aguando. Flota indiferente. Brazadas cortas la mantienen no tan abajo de la superficie, ninguna corriente la arrastra. Sin hijos, sin ascendencia ni marido, sin un trabajo, se convence de que ahora no es nada. Nadie para sí misma. Cree que puede respirar. Abandonarse en el agua. Dejarse ir en el río inmóvil. *No hay nadie aquí. No hay hija.* Pone sus manos en el pecho, deja que el río la absorba. Borbotea:

—No hay nadie aquí ni en el fondo del universo.

4

Tullio exalta el pasado, no sólo en la decoración de su estudio, donde traicionar el estilo sería perforar el espíritu de cuerpo. Los regalos que recibió de sus clientes, y agradeció con una árida sonrisa —salvo algún whisky de marca o una sobria corbata—, no formaban ya parte de su vida, eran modernos y los había desechado como artículos peligrosos. Había sido detallista en la vestimenta cuando aún circulaba en la calle o en tribunales deseoso de ser reconocido aunque su código de advertencias se encendiera incluso con un saludo cauteloso.

Ahora la nueva tecnología lo pone sobre las cuerdas. El programa de la pantalla supera su entendimiento. Deduce que ya no tiene la conexión cerebral necesaria.

Tullio presume de sostener su cadena de recuerdos, cada eslabón bien enganchado al anterior. A fines de los años setenta, cuando despuntaban los foros en la Usenet, Alex, un psiquiatra, había falsificado su identidad sin que nadie lo advirtiera. Con su ayuda habían creado personalidades o, lo que era aún más interesante —pensaba el abogado con su mente vieja—, duplicado otras existentes y chupado identidades, usando claves encriptadas que les permitían reconocerse entre ellos. Eran Trolls, y el resto de los foreros nunca pudieron identificarlos. Un estilo de apropiación limpio.

Ahora, al sobrevenirle una de sus temidas siestas, Tullio lucha con sus párpados. Entresueña cuentos de la infancia en los que los Trolls raptaban gente para hacerlos sus esclavos, y cuando retornaban —si no desaparecían para siempre en la montaña—, quedaban afectados por la locura o la apatía. Cualquiera podía ser raptado, incluso el ganado, pero el mayor riesgo lo corrían las mujeres embarazadas. A veces se llevaban a los bebés, que eran sustituidos por otros niños. Él, cuando era chico, temía ser un niño cambiado. Los Trolls lo impresionaban por su similitud con las personas.

Intenta alejar a esos monstruos de cuento con un sorbo de whisky añejo y deja el vaso sobre un apoyavasos. Cuida la piel de elefante centenaria donde descansa la pantalla supermoderna. La prende y la apaga, es todo lo que logra hacer. Depende del nuevo empleado que trabaja tecleando en el despacho de al lado. Un novato desprolijo que le recuerda a los Trolls, y al que casi no le dirige la palabra. Lo necesita, sin embargo, para acceder a ese mundo artificial al que no sabe cómo entrar. Los buceadores ilegales le han dicho, están encriptados y son muy difíciles de localizar. El viejo abogado no sabe cómo pescar víctimas accesibles para el robo de información en este nuevo mercado de gente incorpórea. Ni zambullirse en las grietas submarinas a las que descienden.

Tullio vio su oportunidad hace un par de semanas, cuando apareció Andrea y el plan se puso en marcha. El caso de las hermanas Blanco le dio fuerzas renovadas para continuar, y no caducar como un malasombra. Andrea le porfió el asunto de la firma, pero Tullio ya afila sus garras. A Juana prefirió encargársela a su empleado, que la persigue por algún pasadizo ilegal; sabe que se desliza por chimeneas, pasando de un nivel a otro en la web profunda. Y ahora está cerca de dar con ella.

Debajo de la constancia de su estilo, Tullio tiene una huella que le divide el pecho, un cordón que nace donde empieza el cuello. Es morado, inmanente e irreductible.

Esto va quedar de mí si me meten en la tierra y mi carne se desarma: un cordón rojo, una pasamanería de terciopelo.

Siente la urgencia. Quiere comprar una amarra en Los Bajos del Temor, en el cementerio principal en el agua. Hay otras más baratas en coordenadas que entregan a los deudos dispersas en los ríos. Pero él quiere un cajón perenne, amarrado cerca de la superficie del agua marrón. El nivel más buscado. Los deudos no deben esperar la elevación mecánica. Hoy, su cuerpo envejecido lo desdibuja un poco, pero en él aún se reconoce. *Soy un pan entero y no un mendrugo desecho.* Y en la gran Almadraba el cuerpo se suspende dentro del cajón sellado en un gel de formol disuelto en agua destilada (agua millonaria), alcohol y otras sustancias que coagulan la estampa. Por eso, cada mañana, cuando se abrocha el botón superior de la camisa, oculta el cordón; se esmera como si fuera un alter ego y lo pone a salvo por completo con el nudo de la corbata. El saco con hombreras encubre sus huesos endebles. Cuadra su figura encorvada, disimula el pecho contraído por el cerrojo de alambre con que rearmaron sus costillas. Lo que ya no sabe esconder son las alternancias del pasado con el ahora. Su cuerpo viejo no retoma la noche, y los eslabones de la cadena de recuerdos se abren para tragar su memoria. Desenganchan las palabras que formaran su jerga legal tan admirada.

Este es el último bluff para su dignidad: quedarse con la plata de Juana para comprar su amarra dorada. Cuando le encomendaron el caso de las Blanco le hicieron saber, por si no las encontraban, que Tempe se conformaba con una sola de las hermanas. Una que representara a ese olvidado, que se animara incluso al disfraz, a la máscara, para no desentonar en la fiesta veneciana con escenografía y góndolas iluminadas donde el mismo

Rey entregaría los cheques simbólicos, enormes como banderas. Por lo que Tullio sabía, la menor era la más desprotegida. Y ya había averiguado que hacía mucho tiempo que no había contacto entre ellas. Ahora sólo puede esperar que su empleado trollee a Juana —falsifique su identidad— y él pueda cobrar esa plata.

En su indominable cabeza, la leyenda infantil se mezcla con el libro de fotos de la naturaleza que se había reservado para el fin de la jornada. Tullio quiere acercarse a Andrea y a muchas otras cosas y a personas vivas, pero siente una tracción inversa, un declive acolchado, su despacho se transforma en una habitación de aislamiento en la que se va apagando.

Mira la espléndida mordida del jaguar. En la primera foto se lo ve solitario, saliendo despacio del agua, luego atrapando una oveja y, finalmente, el detalle: trepa sujetándose a la lana con las garras y alcanza la cabeza; la mordida potente perfora el cráneo, alcanza el cerebro y lo destroza. Todavía siente en la yema el tejido fibroso entre los dedos de Andrea.

Abre la carpeta y, con minuciosidad, desgasta el papel que soporta la tinta con la que Andrea escribió A = A.

5

Cuando Andrea llega al centro repentino designado para reunir a los Hijos del Delta, un salón limpio de rastros de cualquier otra actividad, ellos mismos deben romper los envoltorios de las sillas plegables, sembrando el piso de jirones plásticos.

Le presentan a los integrantes del grupo: los hermanos del caso Raggio, una solitaria mujer, un sobrino que se abandera. Andrea busca a Juana pero no está, y no viene.

El Galo da dos pasos, pecho afuera, exhala y describe con palabras propias las etapas de recuperación del duelo. Se muestra crudo al decir que la intención de los verdugos "fue sacarles el sustento a sus historias y privarlos de un final real".

—La negación de una existencia previa a la tuya te anula —afirma—, el intento más potente es sacarte la genética.

Pero nadie parece precisar esa información.

El Galo es mayor que los demás. Hijo de un poeta que se casó muy joven, pudo conocer mejor la historia de su padre por quienes escribieron su biografía. Y además estaban sus poemas.

Cuando habla, Andrea lo nota inteligente. Erudito a la fuerza. Mamó de un entorno culto, aunque dice que nunca lee. Los supera en edad y en tamaño. Esas dos características mensurables lo hacen vistoso; impone comprensión pero con un dejo de beligerancia.

Continúa: "Seguramente estarán enojados porque sus padres o sus parientes (mirando al sobrino) eligieron la revolución y no a ustedes, o los habrán convertido en héroes, para así incluirse en la épica".

Pero los pocos asistentes están aletargados. Sólo conocen figuras míticas en dibujos animados, ilustraciones de seres alados. Mensajeros de dioses que últimamente les hacen llegar a sus computadoras como protectores de pantallas, stickers, emblemas que los identifiquen, que les recuerden que provienen de esa raza.

El Galo ya había dado estas charlas en otra época. Volvía a darlas porque el municipio había armado esta reunión imperiosa, y el mismo Tempe le había rogado que lo hiciera. Se conocían de cuando el Rey del Agua era un enjuto compañero de colegio y ligaba mamporros que toleraba como si fueran ecuánimes. Ahora eran casi cincuentones, Tempe seguía repasándose el labio superior con la lengua y El Galo sacando pecho.

Cuando lo citó, el Rey del Agua le dibujó un esquema, un cuadro elaborado.

—No sabía que dibujaras —había comentado El Galo.

Tempe continuó delineando, sombreando su búnker, detallando estaciones de bombeo, resaltando las grandes pantallas. El Rey le señaló una, la más grande del Puerto de Tigre, en la que aparecía su sonrisa: dos labios finos y húmedos entre dibujos psicodélicos coloridos.

—Son míos —le dijo.

Al Galo le pareció que no.

Tempe continuó con su voz aguda un poco más, hasta que al Galo le zumbó el oído y dejó de excusarse.

El Ministerio de Aguas, instalado en el municipio más rico del mundo, lanzaba la nueva rueda de indemnizaciones. Había mucho dinero, y mientras al Delta siguiera llegando agua tendrían mucha más. Tempe había logrado que cerraran las arroceras en los esteros y las termas de Entre Ríos. Las represas, en cambio, se mantuvieron abiertas. La cuenca del Paraná recogía agua desde Uruguay y Paraguay, también de Brasil. El territorio derramaba desde allí —curvándose hacia el sur— enormes caudales de agua. El acuífero guaraní engrosaba las arcas del municipio. La reserva explotable de agua subterránea formada hace millones de años. "¡Viaja hacia aquí, es nuestra!", declamaba Tempe al final de alguna conferencia, aflautando la voz de tal manera que nadie deseaba repreguntar.

Aunque sus botas brillaban, el dueño del Territorio Líquido estaba mustio como si le faltara agua. Cuando le propusieron lograr visibilidad con las indemnizaciones, le pareció una idea esclarecida pero con un potencial incierto. El rastreo genético agrupa, le explicaron, y sintió entonces que le ardían los huesos. Se puso eléctrico al ver ese pequeño racimo representado en su pantalla. Preguntó detalles a sus asesores: familias sin cobrar, una lista corta. Trazas de genética olvidada dispersas en los ríos. *Bichos* que depuraba antes de vender su agua. Para abrir esos nodos, seguir trazas y desenrollar genomas habían contratado a un psicólogo extrasomático que había creado una programación reveladora cuya información, él mismo, el Rey del Agua, podría ver en sus pantallas.

Tempe quería tener seguidores. Confiaba en que ese pequeño grupo haría relucir su Jurisdicción Líquida.

Dibujó para El Galo, su viejo compañero, algo más: un tótem de muchas caras, y agregó personas vivando.

—Necesito que les cuentes del agua y del dinero. Todo eso debe circular —le dijo, mientras describía órbitas con las manos sin despegar los codos.

6

Dalezio se consideraba afortunado de tener este trabajo. Antes de entrar en la empresa atendía su propio consultorio. Pero en un transcurso corto su clientela había menguado, hasta que las jornadas se volvieron imposibles. Un paciente con el sol borroso por efecto del alumbrado, y alguno más, entre siestas lentas. También estaba la imbricación de horarios perdidos propios de la "edad de oro". El tiempo horario había resultado un reloj falso. Si la noche volviera, se preguntaba Dalezio, la flor circadiana y el ojo, su mensajero lumínico, ¿volverían a ajustarse a la rotación de la tierra?

O tal vez él mismo había ahuyentado a sus pacientes cuando empezó a explicar con emoción cómo la identidad se extravía en la web profunda, y la extranjeridad que provoca. Su creciente tendencia a extenderse en metáforas de su interés, a comparar los capullos de los gusanos de seda con los nodos, que contienen el registro de la navegación de cada uno en el espacio, su insistencia y su deleite, agotaban a cualquiera. Durante esas largas jornadas exploraba en su pantalla y, conmovido se preguntaba si en ese artificio en el que perdieron su patria, aún existía un "yo" un "nosotros", aunque sea un "uno" abstracto. Había desarrollado un programa para encontrar a esos buceadores y seguir sus trazas cibernéticas.

Apenas un nodo se conectaba en la superficie de la navegación autorizada, Dalezio lo captaba antes de que le aplicaran la Ley de Hielo, y cuando lo abría liberaba una traza; con ese rastreo completaba el genoma del extranjero. Para redimirlo y devolverlo a las rutas autorizadas, había que recuperar los dos teras de información de los que era portador. En ocasiones se disparaban imágenes inesperadas en su pantalla, como un álbum de fotos. Retazos de la vida de esos buceadores, bits de información acumulados.

En una ocasión vertiginosa había sorteado las leyes y comenzado a moverse por el artificio uniforme, sin suelos nativos, donde todos eran nómades y extranjeros. Había llegado más allá de los cinco niveles de la web profunda. Descubrió que allí se movían las alteridades extremas. Se iban creando cuando alguien se perdía de manera accidental o deliberada, muy lejos del territorio registrado, en páginas huérfanas sin conexión hipertextual. Pasaban desde una dirección exacta a un sitio desconocido, olvidando las direcciones encriptadas y sin dejar migas para volver a casa. Errantes solitarios en esa topografía submarina, millones de alteridades sin identidad se desplazaban con envolturas temporales en paisajes bricolage.

Finalmente, uno de los últimos pacientes que asistía a su consulta le dijo que pagaba por conferencias a las que no se había suscripto. Dalezio se convenció de que nadie, por esas latitudes, quería encontrarse. Sin embargo, durante esa soledad perpleja, escribió descalzo, sentado en el piso, entre los almohadones que habían reemplazado al diván, su programa para encontrar a esos extranjeros en la web profunda, inspirándose en un movimiento que crecía en California. Claro que allá se bañaban desnudos en aguas sulfurosas y caminaban entre sequoias gigantes, mientras que él tenía como horizonte una pared medianera y sus almohadones desparejos.

Pero Dalezio sentía el ruido de la información viajando por las redes. Tal vez le faltara el escenario con las gradas de madera y el vino de la Costa Oeste, pero bullía de entusiasmo. Creía ser el indicado para asistir a los trabajadores en riesgo que se despistaban de la network y, si fuera necesario, para recuperar gente sin patria.

Por eso, cuando el equipo de Tempe lo localizó para un asunto oficial, se sintió magnífico, deslizándose por una via regia hacia una nueva ciudad de la que sólo él conocía la lengua y tenía la llave. Por ahora estaba en ventaja. Pero a veces las pantallas se comportaban con una anarquía maléfica, lo manipulaban, y Dalezio se sentía un farsante. Entonces desaparecía, se sustraía hasta recuperar la confianza.

7

Andrea sabe que lo suyo no es la memoria, que una mente archivera le sería útil para repetir caminos. Pero aún no quiere memorizar un mapa. Familiarizarse duele.

No logra asimilar el camino para llegar al restaurante del Galo. Depende de un conductor experimentado; también de alguien que la devuelva a su *zona*. Aunque su zona está en movimiento: primero Maschwitz, luego Tigre. El Norte, entre el verde primero y ahora los ríos, le resulta transitorio, pero admite que es ya una eventualidad de un largo período. Le parecen locaciones para una cierta etapa, sin embargo la naturaleza ejerce en ella una sedación imprescindible para su carácter arrebolado. En cambio, el sur de la ciudad —adonde se dirige—, cementado el suelo y parte del cielo con las autopistas aéreas que lo surcan, le es aún más ajeno. Pasan debajo de una de esas aerovías temblonas y su brújula pifiada desordena los posibles mojones en el camino.

Llegan a Parque Chacabuco, paga al chofer, demora en bajarse. Había aceptado la invitación que le hiciera El Galo luego de la reunión anodina. Pero teme que un pie en la calle Beauchef sea otro paso en el fondo del río. El cartel pizarra apostado delante de la vidriera del restaurante anuncia "Pez Limón, hinojos y calabaza" y la hace sonreír: no puede evitar la ilación de sus fantasías ribereñas con el plato del día.

Grandes frascos con contenidos imprecisos ocupan una parte de la barra, cebollas brotadas crecen tomando la luz desde el alféizar de la ventana.

Se sienta en un banco alto, en una mesa alta. Desde allí ve dos hígados enteros, secos, que cuelgan de un gancho prendido de la campana de la cocina. *Cocina de olla*, le dirá El Galo, cocciones largas y sabrosas. Los vinos descansan horizontales oscureciendo toda una pared, el resto pintado de blanco. El local cerrado al público está inundado de rock a todo volumen. Un holandés, otro hombre joven y una chica rubia. Los movimientos estudiados y repetidos de todos ellos, cierto estilo relajado pero sabido, admiten la música fuerte, los frascos descuidados, los olores y El Galo; sobre todo ese restaurante es El Galo.

Andrea desliza un dedo sobre superficies rugosas. La pintura descascarada cubre a medias el hierro, el hueso de la estructura del local. Lo viejo incluye imperfecciones, irregularidades en las superficies que vuelven encantador o desagradable lo roto. *¿Será cierto que El Galo está roto*?

Luego de un poco de vino, queso y pan casero, repasan juntos el tema que la trae: su padre y el cobro de la indemnización. Andrea pregunta por su hermana, pero El Galo no tiene esa información e impaciente, le contesta advertido: "A ver qué hacés con el asunto de la firma". El Galo cuenta que él está para acompañar a las víctimas de las transgresiones del Estado. Pero enseguida habla de romanticismo.

—Y yo —dice El Galo— para ellos represento la tragedia que termina con la muerte.

Sospecha que no lo ven como un héroe, un sobreviviente; que no se gana su admiración como le pidiera Tempe.

Al rato está claro que molestan a la rubia, que los mira con las últimas servilletas dobladas, un juego de cubiertos en la mano y dos copas engarzadas entre los dedos. Parece natural que El Galo le proponga bajar al sótano, único sector privado del local, para así despejar la mesa y dejar que la rubia continúe con su trabajo. Sin embargo, la ausencia de una mirada franca instala un nerviosismo entre ellos.

—Y en la tragedia no hay poesía —admite él mientras bajan la escalera—, no hay estética. Mi viejo murió de manera miserable.

La cama deshecha, la ropa usada, la mesa chica llena de papeles. Esta habitación, hundida varios metros bajo tierra, huele a bestia encerrada. Dónde sentarse en este juego de hombre-mujer, en la cama muy al fondo de la pieza las sábanas húmedas se enrollarían alrededor, desordenadas. Andrea desea volver a la superficie. No sabe por dónde se sale. Tocándose o sin tocarse.

Y él no invita a la comodidad.

Finalmente, Andrea da unos pasos, se sienta en un banco pequeño, desplaza papeles de la mesa chica, un pupitre cercano al pie de la escalera. Apoya el vaso y bebe unos sorbos, pero cuida que no sean tantos.

El gran estómago del Galo se une con un tórax saliente, forman una proa fuerte, de buena madera. Allí está su estilo, en ese pecho fuerte en el que entreveo un tatuaje. Dice algo de Viejo... y Niño, pero para ver lo que sigue le tengo que pedir que se abra la camisa. O empujar con mi dedo un poco. Nota una letra barroca, negra, nítida sobre la piel, pero la frase se escabulle en la sombra de la tela que se ahueca. Mientras El Galo habla, Andrea se esfuerza por leer algo más. Desde que el diálogo continúa debajo del nivel del suelo, todo ha cambiado.

Apenas apoyado en un banco alto, El Galo, guardián del acceso a la escalera, obtura la salida del sótano con su cuerpo voluminoso. Ella no podría subir sin que él se lo permita.

Y la camisa y el tatuaje. Le muestro el mío, así me muestra el suyo. Andrea se arremanga para mostrarle sus flores grabadas en el brazo, cerca del hombro, unas peonias, flores y capullos. Nota sus ojos humedecidos. *De fiera grande, tiene ojos de tigre quieto.* Como él no hace nada por devolver el gesto que ella espera, se acerca más y queda parada entre sus muslos gruesos. Arrima la mano y con un dedo estira la tela para descubrir las letras. Tironea de su camisa. El Galo no se mueve. *Viejo vi…, Niño… le desprendo el botón, se lo voy a romper.* Libera un botón, y cuando le abre la camisa él la detiene sujetándole fuerte la mano y le dice con un gesto de pudor:

—Es como si te abrieran el escote.

La distrae contándole que cuando fue a completarse un tatuaje, otro, que tiene en el hombro, una tortuga hasta entonces sin cabeza, encontró que el tatuador había perdido un ojo a causa de un tumor. Entonces, por el asunto del ojo, deja la tortuga sin terminar, y como anda necesitando darle un lugar a algo en su cuerpo para que no lo moleste más, le pide que le escriba en el pecho. Letras góticas, cuatro palabras.

Los dueños del Recreo Luz y Fuerza, ubicado sobre el río Sarmiento y el arroyo La Perla, habían construido murallones de cemento para defender sus costas de la erosión. Las embarcaciones a motor —como la que había devuelto a Andrea a la isla luego del encuentro sinuoso con El Galo— agitan el río, y las olas, que deberían absorberse en la vegetación, rebotan en cambio contra el cemento, atacando la costa enfrentada. Tomando mate en el muelle, Andrea se enoja progresivamente. Le parece ver los sedimentos suspendidos que llegan desde lejos, ampliando la superficie. Esta colmatación de la costa podría atajar las crecientes que atraviesan hoy los viejos albardones. Y aumentar la greda contenida entre raíces carnosas de juncos y pajonales. Confía en los sauces plantados que entrelazan raíces y se extienden más allá de su sombra fijando las islas. Después de dejar su casa de Maschwitz, lo único que tiene ahora está en este territorio líquido. Los estallidos del agua en su costa alimentan el odio hacia los matarifes de enfrente por cada mordisco a la isla.

Su padre usaba palabras estudiadas pero que en él sonaban espontáneas. Sentado en la cabecera de la mesa en la casa del Delta, atado a las vidas ajenas, su lenguaje cargado fluía liviano. Rodeado de un grupo cambiante —podían ser cuatro al llegar y diez luego—, los hilaba con frases resonantes. Recogía el terror y el coraje de los eventuales refugiados y disolvía sus memorias personales por un rato. Influida con el recuerdo de su estilo, Andrea quiere rechazar su ira. Se propone ser una activista junto a unos hippies en canoas de colores, tres o cuatro que ha visto cortando el río a la altura del puerto, impidiendo la salida de los buques cisterna, reclamando liberar el agua. Las multas por cargar tan sólo un frasco son tan altas que se van sin nada.

Muerden la costa, carniceros, me arrancan carne de la isla. Su padre furioso la remolcaba hasta Tigre con un apuro febril por no tener donde dejarla. Huía con la cabeza en llamas, el rompecabezas de muchas piezas para resolver en un instante: hija, casa, auto, grupo, hija, compañeros, hija, armas. Tenía siete u ocho años la segunda vez. Después a Blanco le torcieron los brazos le descosieron la piel le atenazaron la garganta y, como supo por boca de su madre, lo agotaron amenazando a su familia. Cuando llegaban al río pardo, se serenaba. Blanco disolvía a cada uno, a cada sustantivo, en un único corpus. Sin embargo, los recuerdos que la inundan flotan dispersos. Y está segura de que, si alguien busca a su padre, no va a encontrarlo en ella.

Un viento ligero comienza a darles sonido a los sauces, lo escucha de fondo para la voz bruta del Galo en su cabeza: "Yo te puedo decir algo que te va sangrar la ropa, pero nunca ejercería la violencia física".

Y le contó que él mismo había llevado consigo lo que llamó "la decisión de la muerte".

—Una cápsula de cianuro como para matar un caballo. Me la dio mi padre. Un tubito de acrílico para morder y chupar. Así llevabas con vos tu decisión de muerte. No cederla nunca. Me la dio con el pedido de que lo liberara de matarme él mismo; sabía que yo no iba soportar ni un minuto de tortura.

Andrea había espiado el bolsillo de su camisa. Era la segunda vez que lo revisaba.

—Me deshice de la decisión de la muerte.

—Dónde —preguntó, mientras sentía que le sangraba la ropa.

—La tiré desde la ventanilla del colectivo, justo detrás del Edificio Barolo.

Andrea se mira buscando manchas rojas.

8

Más tarde, Andrea camina bajo la luz de luna empañada que comienza a notarse en la oscuridad aún resplandeciente. El día eterno de luces y pantallas había aumentado la temperatura, pero junto con la luna borrosa vuelve el fresco nocturno.

Da pasos curtidos, distintos de los inciertos de su llegada. Luego de cien metros, en vez de ir hacia el Paraná, donde guían los sauces con ramas elásticas que copian el viento, elige un sendero bajo una línea de cipreses de los pantanos. Las raíces sobresalen, neumatóforos que respiran cuando el agua sube, salvando a los árboles del ahogo. Nunca se había aventurado en esa dirección. Luego de un rato de aliento suspendido, llega a una frontera de pasto corto que se extiende formando un cuadrado. Alrededor es abandono. En ese pequeño parque hay una vivienda de madera, justo para una o dos habitaciones. Avanza. Hay una casilla rodeada de trastos que tal vez oculte una cisterna. Iluminada por una bombilla manchada de insectos. Ve un conejo de felpa rosa descolorido, de la altura de dos personas, con el cuerpo relleno y las orejas caídas, sentado contra una de las paredes de metal acanalado. Un peluche que sólo podría estar en una famosa juguetería de alguna capital del mundo rico, algún país donde compran mucha agua. Su aspecto meloso y gigante atrae e intimida. En cuanto atraviesa la frontera de pastos silvestres y pisa los cortos, se enciende una luz en la casa y sale un hombre armado que se planta delante de su conejo sensacional. Parece borracho. Retrocede hasta pegar la espalda contra la panza blanda del peluche y le advierte con voz pastosa que no se acerque. A Andrea le parece anómalo que lo deje afuera y que a la vez lo defienda, y cuando se decide a rescatarlo —a pesar de la majestuosidad de su tamaño parece liviano—, dos perros de patas cortas se acercan ladrando. Uno le muerde la botamanga, la sacude cruzando los dientes.

En la memoria enredada de Andrea hay una mordedura y la cicatriz está ahí, entre los dedos que hurgó Tullio.

Patea, se zafa y sube a un albardón por donde corre haciendo equilibrio. Es muy largo, fue construido para proteger cultivos y más cultivos de jazmines. La luna y algo de la emisión de reflectores que los detractores de la noche encienden, revelan miles de botones cerrados. Queda, a su paso, envuelta en una nube fragante contenida por la humedad. Atraviesa el perfume con una señal prendida: la vieja sutura en el tacto áspero del abogado.

Mi marido había traído a Maschwitz —tironeando de la cadena que rodeaba su cuello grueso— un perro entrenado, de esos que son malos o los torcieron para que lo sean, y la maldad es siempre del dueño. Me tiró al piso con precisión, las almohadillas agrietadas aplastaban mi cuerpo. Me hincó un diente. Su hocico era una perforadora que vibraba ahondando el agujero. Vi la devoción en esos ojos salientes: sí, la maldad era del dueño. Luego me soltó. Al día siguiente el perro ya no estaba.

Andrea llega agitada a la casa, cierra la puerta, asegura los postigos. El perfume se disipa, la niebla persiste y los perros callan. Completamente despejada y sin poder olvidar al rehén, busca la caja urna que le dio el abogado. Ya en el dormitorio revisa, toca, espera algún signo en esas cosas polvorientas; las huele.

Extraña la calma inmediata, que fue su bienvenida a Tigre. Aunque eso significara limitarse a esa cama, a esa casa. Pero había abierto el sobre azul. Y aunque no quiere que ningún estímulo la colme y elige una vida achicada, finalmente, mientras sostiene la caja alejada como si fuera a estallarle, levanta la tapa.

Busca el artefacto que le dio El Galo para escuchar las cintas, con el que suele oír los poemas recitados de su padre. Nadie guarda como El Galo, él guarda como derecho, acumula soberano.

Le parecen inocentes; anuncian música funcional de la empresa Muzak (había visto ese nombre en una chapa dorada debajo de unos discretos parlantes en la oficina del abogado), cintas interminables grabadas para consultorios y estudios modernos. Se impacienta, pulsa botones del aparato para que continúe o se detenga. Ya ha descartado la mayoría, una bossa nova lavada, alguna versión no original de los Beatles. Uno de los casetes tiene escrito Graciela en la carátula. Lo sostiene un momento entre los dedos y, molesta, poco curiosa, lo deja en la caja y apaga la luz.

El conejo no la deja dormir. *Yo era un rehén, un conejo blando. Salí de esa quinta con una cicatriz, pero no soy más de peluche.* Aunque no siente ningún relleno y la anomia que experimenta la deja sin apellido, se fuerza a escuchar. Se coloca los auriculares. Lista para oír en la total oscuridad de la casa ciega.

Suena la voz de su padre que le habla al oído. Empieza con un proverbio:

"No tomes la vida demasiado en serio; total, no vas a salir vivo de ella".

A continuación, una mujer ríe con ganas.

Andrea intenta listar sus recuerdos, se pregunta cuándo fue que discutieron por los libros, si guardarlos o tirarlos. *En ese momento vino mi marido. Cuando papá lo vio agachó la cabeza sumiso. No nos vimos más.*

Siguen las risas, algún ruido, tal vez una palmada en un hombro desnudo. Ahora que lo oye, el proverbio le parece desprovisto de la sabiduría que le adjudicó en el pasado. Juegos de un padre con su nena. Si estaba asustada, buscaban en el Libro de los Proverbios uno que refiriera el temor a las tormentas o a la pérdida de las cosechas: el miedo compartido la calmaba.

Sigue escuchando:

—Es el ciclo de tus hijas, el tránsito de Saturno las afecta a ellas.

—¿A cuál? —pregunta el padre con voz estrangulada— Juana es mi hija perdida, tiene para mí años de no nacida, se difuminó en los brazos de la madre.

Andrea piensa en Juana húmeda, entre pliegues de telas artificiales, en el camarín del teatro donde la madre actuó durante sus primeros años. Pero no logra visualizarlas, ya que nunca estuvo allí con ellas.

—Andrea corre riesgos —dice el padre—, está siempre conmigo, y la militancia nos marca el paso.

Escucha y se da cuenta de que hace sólo unos instantes corría haciendo equilibrio sobre el albardón, mientras los perros daban sus últimos ladridos. *Viví en peligro, no sé darme cuenta si ahora estoy en peligro.*

—En tu mapa del cielo en la tierra, Andrea y Juana son un único símbolo. Y vienen cambios radicales en sus vidas. Ahora te digo cuándo.

Andrea calcula que los astrólogos miden el tiempo matemático por las órbitas de los planetas alrededor del sol, y eso les da ventaja. Podrían cobrar importancia, volverían a ser consultados como relojes majestuosos.

El tránsito planetario anunciado sobreviviría a Blanco; la astróloga hablaba de períodos largos, pero el padre no llegaría vivo para completar ese paso de Saturno a través de una de las constelaciones.

Piensa que la predicción fue acertada. Ella dejó todo: casa, trabajo y marido. Sustituyó su realidad con sólo una luna por medio. *¿Y Juana? ¿Qué había cambiado en su vida?* La supone trabajando en la oficina y revive la respuesta a su llamado. *Nada que decirse.*

—Me voy —continúa la voz del padre—, ya sabés adónde, no sé si ves este viaje. Mi prima me viene bancando, pero puede que su casa ya esté marcada.

—Tu carta natal está determinada por los viajes de cabotaje. Aunque no lo creas —se ríe—, así como los hijos están representados juntos, en un único lugar en la carta, el área de viajes cortos es diferente de la de los viajes a lugares lejanos. Por eso nunca saliste del país.

Nuevamente la risa cercana, Blanco la llama *compañera,* y Graciela hace bromas que su padre festeja.

Andrea agudiza el oído para detectar algún roce de ropas, acaso el sonido de un beso. Se enfoca en los ruidos del ambiente. Murmuran. Aprieta el auricular contra su oreja para alcanzar la vida de su padre más allá de ella.

La mujer asume un tono de cierre, le aconseja:

—Seguí el viaje, no te detengas ni siquiera en lo de tu prima. Movete. Que nadie más sepa de vos. Tampoco tu familia.

Andrea prende la luz. Suelta el capullo de jazmín que se puso amarillo apretado en su puño.

Si mi padre nunca llegó a la casa de su prima en Misiones y no estaba en la precaria tumba que me mostraron. Si sus restos están en el Delta. ¿Dónde lo mataron?

9

La segunda vez que Andrea visita al Galo en el restaurante, seducida por el movimiento de manos, fuegos y ollas, se hace tarde para alcanzar alguna lancha colectiva. Además, en la media oscuridad, luego de que el reinado de luz artificial destronara el miedo, volvía el terror nocturno. Se va quedando.

A medida que el turno avanza, aumenta la acción del equipo que conforman la rubia, el holandés y un hombre joven. El idioma comienza a ser otro: voy (al pasar uno por detrás de otro que sostiene una sartén sobre el fuego); levanta (para dar aviso de que despachen el plato); comanda (suelta la rubia para que noten el papel que clava en un pincho de metal); sale, voy en cinco, aguantalo, osobuco, marcha, dos taglias, un fetu…

El Galo camina de la cocina abierta al salón. Deja que lo vean. Da la terminación a un plato, descuelga y corta el hígado seco y dulzón en pequeños trozos que parecen orozuz y los dispone sobre una ensalada amarga. Una copa de vino lo acompaña, y cada tanto se ocupa de rellenar la de Andrea. Llega más gente, aumenta el griterío mal amortiguado por los techos altos y los pisos de mosaicos. Todos levantan la voz, también en la cocina. La rapidez concertada de los cocineros al calor de los fuegos vivos y de los hornos, que se abren con las manos pero se cierran con una patada, la distrae de sus cuestiones. El bachero desbraza la comida restante y lava platos; copas rotas se separan en una caja de cartón que se va llenando a medida que avanza el despacho. Ninguno levanta la vista de su tarea, aun cuando el ruido del quiebre de la loza o del vidrio retumbe en el mosaico.

—El restaurante te absorbe el pensamiento como una esponja, al menos por un rato —comenta Andrea al declinar la demanda de los comensales.

El volumen de las voces se va restableciendo.

—Abierto toda la semana —aclara El Galo— logra mucho más. Te absorbe por completo. Es adictivo. Digo, si eso es lo que buscás.

—Mmm —dice ella, mientras vacía la copa de un trago. Ahora que no es nada, calcula, el oficio de otro puede ser un traje que le quede bien. Impregnada de olores, sale del rincón caluroso, se acerca al Galo y exhala en su oído:

—Tal vez.

El salón, de a poco, se va vaciando.

Una vez abajo, en el sótano, Andrea observa la única ventana que hay en la habitación. Tiene barrotes que topan con el techo, y vista desde afuera queda al ras de la calle. El Galo la ronda, empuñando como un garrote una botella de vino aún cerrada.

Andrea inspecciona menús viejos pegados en la pared. Se da cuenta de que el lugar funciona como restaurante hace decenios, y que esta pieza en el subsuelo fue siempre la vivienda. También hay hojas impresas con los poemas del padre del Galo, algo deshechas, arrancadas de revistas o manuscritas en cuadernos: "Ir tirando mis pequeños trofeos, mi vara de mandarín, la misma vara prístina, argentina: de qué manera soy argentino, hasta qué muerte, con qué gusto, con qué desprecio".

El Galo le quita la copa y la pone a hacer equilibrio sobre el angosto alféizar del ventiluz. Aparte del pupitre y de la cama, del alféizar como repisa, sólo el piso ofrece una superficie estable. *Esta pieza es triangular, parece fuera de escuadra. Si rodáramos hacia el fondo terminaríamos en ese ángulo oscuro más allá de la cama.*

Siente el aliento fuerte del Galo en la nuca. Se da vuelta despacio. Ve que le ofrece el pecho sin camisa. Su enorme tórax abombado reluce, las letras góticas sobresalen. *Por fin puedo leerlas: "Viejo vivo, niño muerto".*

La empuja con suavidad hasta la cama, se acuesta encima. Entre ella y ese pecho, entre esa frase y ella, queda un poco de aire que El Galo invade con fuerza. Le sella el tatuaje en el cuerpo. Y como si fuera cierto que el cuarto estuviera inclinado, ruedan en la cama hasta quedar en una esquina. Él le calza un antebrazo debajo de la cabeza y le pone la botella de vino en la boca para que tome unos sorbos como de una mamadera. Andrea traga y hará todo lo que él le diga, disfrutando de estar casi aplastada, en el fondo de un sótano, en el codo final de la cama.

—Un amante amoroso, con una sentencia en el pecho, en una cárcel —le dice ella después del sexo—. Por qué, con lo que le pasó a tu papá, dormís en lo más parecido que vi a una cárcel. Si te saco la historia, ¿qué te queda?

—Nada. Yo soy el niño muerto. Cuidado con los botones que tocás —amenaza.

Quiere que me vaya.

De vuelta en Tigre, Andrea se agita cada vez que respira y su cuerpo replica contracciones turbadoras.

Ya no rigen las coincidencias, tal vez su atardecer no se ajuste con el de él, pero la emociona hacer calendario. Imagina los movimientos del Galo. En este momento exacto emerge del sótano por la salida lateral, suelta el candado, retira la cadena y vuelve a entrar desde la calle a través de la pequeña puerta de metal del frente por la que apenas pasa. Casi siempre se golpea, insulta, huele el aire interior retenido de la noche y, como si fuera una bandera que lo enaltece, repite que no va colocar un extractor, que prefiere el tiraje natural. Sube la cortina. Erguido en medio del salón, hincha su pecho abultado, suelta el aire con un bufido. Llegan los empleados, empieza el alboroto y queda a salvo, como le explicó, de más pensamientos.

Esa mañana, cuando se fue del restaurante, El Galo la despidió con un saludo mezclado, un beso húmedo y un anuncio parco: "Hablamos mañana. Del asunto de Blanco".

Los perros que habitan las islas ladran en un eco sucesivo, son muchos y a veces siguen a los dueños nadando en el río detrás de los botes, como si las embarcaciones fueran autos en un camino, y vuelven cansados a los muelles donde otean tal cual lo hace el perro de casa con jardín a través de la reja. Les gusta dormir enrollados sobre las tablas rústicas de madera que absorben algo de sol cálido. Pero nadie considera un rito fúnebre para su perro muerto, tampoco enterrarlo en este territorio líquido. El perro flota un tiempo con el ojo hinchado hasta que el río aluvial lo deposita en alguna isla convertido en sedimento. Andrea imagina caballos. ¿Qué otras cosas vivas o muertas oculta el río pardo?

Busca el viejo grabador del Galo, negro y metálico.

Los carretes cargados de cinta marrón son ruedas de molino, piedras que la muelen mientras giran. Andrea aprieta la tecla, inician. Se abren compuertas, empujan el agua retenida.

Luego de que la astróloga le aconsejara a su padre no volver a la casa de su prima, no detenerse, Andrea oye a alguno retirar una silla y a Graciela diciendo que enseguida vuelve. Pasos. Un suspiro de su padre. Está solo. Andrea siente su aliento en el oído.

Se acomodan nuevamente y luego de una pausa —algunos centímetros de cinta—, Andrea sube el volumen; mendiga. Le parece oír a Blanco cambiando de posición en la silla. Extraña el crujido del mimbre seco de las de

Tigre, que delataba los movimientos del ocupante; incluso cuando su padre despegaba el codo para alcanzar el mate. *Estas deben ser de metal o madera pesada. Las levantan para correrlas y caen con sonidos duros al acomodarlas. Blanco habla…*

Blanco cambia la voz, más grave y más sugestiva; anuncia:

—Te cuento: me tiré al agua como señuelo.

Ese día deseó ser de agua, hasta se culpó por los kilos de más al hacer una ola redonda que vio extenderse.

Andrea sabe de qué habla.

Cuenta cómo se había desplazado pegado a la costa, agazapado, sujeto a los bordes tejidos, con la cabeza apenas fuera. Olió el limo fresco y el podrido. Su temor era que los verdugos reparasen en la embarcación donde dormía Andrea. A pocos metros, pero lejos de sus brazos, el barco flotaba sin nadie que lo comandara. Su padre rogó al río que se volviera inmóvil. Que ese río quieto no se llevara a su hija sin amarras. Los hombres buscaron en la tierra, pero las islas los desconcertaban: no podían ir derecho y solo derecho. Demasiados vericuetos, arroyos y plantas. El territorio triangular del Delta les tendía trampas. Lugareños que no contestaban, respuestas que pasaban lejos de la costa en barcazas, cargadas de madera o vacías, mirando fijamente el agua. De pronto Blanco vio cómo un biguá negro se posó en el amarillo descascarado del barco. Andrea descansaba en la cabina rodeada de cabos, cajas y cañas de pescar. Un olor suave, ventilado, a pescado, impregnaba el barco. El padre recuerda con la voz cargada que el pájaro entró, caminó rebuscando entre Andrea y las cosas. Si llegaba a despertarla… Calculó que podría distraerlos saliendo de golpe de su escondite en el río, gritando para atraerlos. Mientras, los hombres comprimían con pisadas duras las tierras esponjosas. Los borceguíes ensuciaron la escalera de la entrada a la casa. Espiaron por las ventanas. Magullaron la casa por oficio, aunque alguno le puso saña: volteaba botellas y frascos; tumbaba todo lo que estuviera erguido. Otro quedó vigilante parado en la galería.

Ahora Andrea se ve como él la vio ese día, asomada a la baranda, somnolienta, buscándolo.

Cuando se cansaron de maltratar la casa, se retiraron.

—Nadé hasta mi hija, que entonces era una nena.

Ese día, Blanco le agradeció al río.

Luego de un silencio, Graciela nombró al Delta místico, radiante, el del triángulo con el ojo adentro. El padre recordó la cuarta letra Δ. Ella explicó que "delta" en hebreo significa "puerta".

—No te detengas en ningún lugar. Ojalá te quede abierta alguna puerta —dijo Graciela sin acento predictivo.

Andrea mira al techo como si fuera el cielo. Continúa inmóvil en aquel barco quieto. Pero luego de escuchar a su padre sobreviene la escena siguiente: ellos dos entrando de vuelta en la casa, con el padre atenazándola en un abrazo y el perfume liberado del frasco roto.

Aun así suma su voz a las grabadas. Retrocede la cinta y repite cada sílaba, acopla su voz a la de Blanco. Dice junto con él:

—Este Delta puede ser mi puerta.

10

Intranquilo, El Galo se coloca los anteojos, que se le deslizan hasta la punta de su nariz, y la mira con los ojos ranurados por encima de la montura. Está listo para repetir la explicación que suele dar, pero antes acomoda el cuerpo en la silla alta.

—No hinchés las pelotas. Cobrá, que si no esa plata se la queda el puto Rey del Agua.

A continuación se dispone, laborioso, a estudiar el menú para modificar la tabla de fiambres caseros y quesos, sin prestar atención a Andrea. Planifica intercalar una delicada tulipa de queso de Tandil entre la viandada y el matambre, pero una oleada de sexo le hace triturar la tulipa y decide disponer sin adornos los fiambres caseros que él mismo prepara.

Deslumbrada con la epopeya pública de él y su padre, que ha empezado a conocer, Andrea le pregunta por los años que vivió en Brasil. Quiere saber más de sus atributos.

—Exilio, Andrea.

Entonces lo bautiza, decepcionada con la respuesta seca, perpetuando la costumbre de su padre de renombrar a las personas:

—Recordis. Tenés sobre el *cordis* una leyenda difunta —lo codea, le repite—. Recordis, esa leyenda es tu escudo, pero sos el que mal recuerda. Todo pasado fue peor. Al final de tu vida, todo va ser un mal recuerdo. Y yo también.

El Galo quiere desprenderse de esta conversación, no está seguro de que le guste hablar con ella.

—Tengo recuerdos jodidos —le chasquea los dedos en la cara—: reencarnaste en vida, querida. Aceptalo. A ver si ese Tullio deja de mandarme mensajes y Tempe no me rompe más las pelotas.

—Entonces decile a Tempe que me invite a su búnker y me dé la plata en la mano —dice Andrea, sintiendo por primera vez que el abogado, El Galo, incluso Tempe, todos quieren algo de ella—. Sos un cerdo —le dice cuando él la agarra fuerte desde atrás y se la mete por el culo. Y él le cuenta que una vez le hizo lo mismo a un hombre, para probar. Andrea le pregunta si eso también es un mal recuerdo.

11

Juana amanece vestida con capas de ropa superpuestas que agrega desde que comenzó el frío. El disfraz en el encierro de su departamento. Espera el turno en la network. En esta vida de murciélago, se siente nocturna y lamentable. Tiene contracciones, molestias invasivas que la asaltan sin aviso. Explora en la internet profunda. Llega a las Marianas. Conoce el peligro de perderse en territorios de los que no se sale. O de que la marquen como una extranjera, le apliquen la Ley de Hielo y ya no pueda volver a situarse en las redes acostumbradas. Su aislamiento y su trabajo restrictivo la vuelven una peregrina. En la oficina sólo podían conectarse a la network de salud, pero habían olvidado bloquear sus accesos o se olvidaron de ella por completo. Así que Juana rumbea hacia un espacio en el que muchos hablan sin que nadie modere y de allí llega a una playa fría, con poca gente.

En este foro su nombre es Quale. Siempre insertada en las teclas grises que dicen sus palabras, la sucesión de comentarios se hacen más espaciados hacia la madrugada. En un paisaje nublado sólo uno o dos foreros deambulan por la playa. Uno de los usuarios es Phil, que va dejando pistas y Juana levanta los guijarros. Lo puede ver con los pantalones arremangados, y también puede escuchar la tela golpeteando sus pantorrillas con el viento y el rumor del océano frío. Esos paseos por la costa, pasos sin gravitación en la arena, se fueron convirtiendo en la sangre que la anima. Phil, su imagen pre-matérica, narra un invierno marítimo de pocas alternancias. Con un dolor creciente, Juana se alivia sentándose sobre toallas dobladas que engrosan el almohadón del sillón anatómico que le envió la empresa a su casa.

El lleva y trae de las olas de esta playa baldía en la que Phil pone en escena siempre sus charlas la induce a responder preguntas, dar muchas respuestas. La atrae ese hombre que remonta los barriletes profesionales que él mismo fabrica. Imagina su tienda en el puerto, chica pero iluminada, saturada de barriletes de colores que penden del techo con sus colas largas. Peces y monstruos orientales, triángulos con caras. Cuenta Phil que para remontarlos hace falta más de una persona, y que se mantienen describiendo ochos en el cielo. No son inusuales los accidentes; ojos y cabezas ajenas sufren repentinos aterrizajes a alta velocidad. Phil refiere una moda entre adultos que salen a parques y playas a llenar el cielo con barriletes.

Phil: Voy a enseñarle a una pareja a operar uno de muchos cabos —le dice en inglés con una boca carnosa, y a Juana se le libera la respiración; sopla delante de la pantalla como si pudiera sumar su aliento al viento marítimo.

Quale: Me gustaría tener un barrilete con cabeza redonda y cola larga, azul. Algo simple, ojos y pocos flecos…

Phil: Te lo mando.

Quale: Gracias… Un día lo remonto… Estoy embarazada…

Phil: Yo me ocupo de todo. Solo necesito cubrir los gastos del envío.

Q: Graaacias…

P: Dame tus datos y tu número de cuenta, así me aseguro de que es tu transferencia.

Q: Ahí van…

P: ¿Clave?

Q: 1604.

P: Dame tu dirección y te lo entregan en tu casa.

Los irritantes puntos suspensivos le confirman al joven empleado de Tullio una personalidad lábil, incapaz de dar término a ninguna frase. Desde la anticuada oficina donde trabaja, rodeado de cartones engrasados, servilletas de papel y muchas golosinas, mueve con destreza sus falanges pegoteadas sobre las teclas calientes. Resopla y se levanta ruidosamente: cree estar cerca del fin de su tarea —un mercenario que se acerca a la paga por sus servicios— cuando teclea, desde su peregrinación en esa fría y ventosa playa.

P: Kisses, Phil.

Resta un poco de luz solar que amaina lento detrás de nubes estratos gris oscuro para que la oscuridad casi uniforme vuelva a ocupar el cielo. Pero Juana no lo sabe, en su sistema cerrado ella domina la luz con su prende y apaga. Comienza el turno de conexión a la network.

Hace algunas jornadas que soporta una presión desconocida, un desprendimiento de a jirones. Y con cada jirón, más presión en el pozo de su vientre.

Salta a la profundidad de la red oculta cargando un lastre de plomo. Sortea páginas arcaicas y otras encriptadas; encuentra barcos hundidos, desechos suspendidos. Pasa al siguiente nivel, oscuro y silencioso, deja de lado cosas que no quiere ver. Y tampoco quiere que la vean. En la superficie de internet se navega, aquí se bucea. Los buscadores no funcionan, pero Juana tiene una dirección exacta. Se arriesga a que le apliquen la Ley de Hielo mientras fondea en la topografía submarina para buscar a Phil en esa playa baldía.

Vibra el ícono de la campana amable, al costado de la pantalla, que anuncia su turno de trabajo. Pero justo en ese instante divisa a Phil encorvado, sosteniendo algo en las manos. Por un momento se conmueve; él es su patria en esa naturaleza artificiosa. Antes de alcanzarlo, una lasitud invade su cabeza mientras el útero se aprieta fuerte, con vida propia.

Se suman golpes de nudillos en la puerta. Al único que recibe en su casa es a Dalezio. Nunca le revela sus itinerarios en la red. Esos golpes multiplican su atención bifurcada; el cuerpo, y la alteridad que comienza a colonizarla, no se alcanzan, y Phil la espera escondiéndole algo, con los pies fríos en el agua.

Finalmente, Juana se levanta. Abre la puerta contraída por el dolor, contraída la cara el cuello los hombros con las manos engarzadas apretando las tripas.

Durante los largos meses de supervisión en que vio desarrollarse el embarazo, Dalezio había imaginado mil veces estar presente ese día. Sabía con exactitud que faltaban al menos ocho semanas; por eso lo sorprende el cataclismo natural que parece inevitable. Se detiene en la puerta sin decidirse a entrar, ni a sacarla afuera tirando de su brazo. Está ahí, pero amordazado. Y Juana se encuentra en un lugar remoto.

A partir de aquel único encuentro, que el supervisor llamaba "noviazgo" y "fruto" al embarazo, Dalezio había aprovechado cada supervisión para intentar brindarle explicaciones de *la perspectiva del bebé*, de manera que él pudiera ser parte de ese juego aún inconcluso. Porque Dalezio se cree el padre del hijo que ella espera. Pero no puede constatarlo, ni siquiera mencionarlo.

Algo aliviada, Juana lo convence de volver a su sillón. Oculta la red profunda. Inicia la conexión a la red laboral delante de su supervisor.

Pero Juana y su hijo se mueven por diferentes sendas. Dalezio nota que las toallas colocadas debajo del asiento de Juana escurren agua: primero gotas, luego un chorro sobre los pies.

Un vacío explicativo la separa de su cuerpo. No alcanza a engarzar en su cabeza —que vaga en otras aguas— la urgencia que experimenta. Empieza algo que Juana no domina. Sin ella.

12

Andrea observa desde la barra sorteando recelos, intenta disipar enojos entre ellos. Residuos de esa tarde en que el sexo le pareció un experimento rabioso.

El Galo comienza a trajinar en la cocina abierta, digiere sus propios asuntos, ceñudo por tener que juntar a Andrea con Tempe, su viejo compañero. Quiere terminar con este trabajo de funcionario. Todo, hasta su cocina, le huele malsano.

Los cocineros comienzan a hacer la *mise en place* para la cena. Al ver a cada uno en su puesto trajinando para la apertura del salón como si fuera una orquesta con horario de función, Andrea quiere acoplarse aunque no sabría con cuál instrumento. Recuerda la oferta de concesión del restaurante del club de los italianos, la conversación de los dos hombres que parecía haber dejado vacante el lugar. También al Galo recitando: "La maña de mi bodegón es el rito diario que apaga la preocupación". Ve cómo El Galo, de espaldas al salón de piso damero, dirige. Controla por su propio peso.

De pronto entra en el restaurante un ruidoso grupo de clientes argentinos junto a tres más procedentes de otro país. Andrea nota que El Galo se sobresalta, aguijoneado por esa presencia. La rubia atenta los guía hasta una mesa al lado de la ventana. Las copas diamantes, los cubiertos espejados. Los platos derrochan brillo. La rubia prodigiosa había entelado de blanco las tapas de madera vieja, mejorando el aspecto raído del conjunto.

Las luces bajas enfocan la única mesa ocupada por esos comensales que conversan, reponiéndose de unas largas jornadas que, entiende Andrea, son de un congreso:

—"Identidad-No Identidad". Quién le habrá puesto ese título a esa conferencia. La identidad es sólo un argumento. Es como una pareja: no se puede vivir sin ella, pero enamorarse demasiado trae problemas.

—A ver cuántos de ustedes hallaron la inteligencia... Una persona, digamos, es persona cuando se produce este acontecimiento, esta ligazón: la transpropiación.

—¿Pedimos la comida? Y el vino. ¿Qué acontecimiento, profesor Cresta? —pregunta el más joven, de algún país de Latinoamérica.

—El acontecimiento, Jorges, es esta comida —exclama Cresta, el hombre canoso, el mismo que habló primero.

Es él quien huele y degusta un sorbo del vino que El Galo, gruñendo, por insistencia de la camarera, eligió para ellos. El profesor lo aprueba dejando caer la barbilla y espera que todos vuelvan a prestarle atención. No es joven pero sí alto y gallardo, y Andrea se sorprende al ver que El Galo finalmente se acerca y sacude al profesor con unas palmadas fuertes en la espalda. La rubia interrumpe con una bandeja cargada con panes y mantecas, que reparte en la mesa pidiendo permiso. Los dos hombres se conforman, por el momento, con ironías, rezongos varoniles, comentarios de tonos susceptibles. Andrea pesca que El Galo y este profesor, luego de haber disertado en el mismo congreso, habían discutido fuerte entre ellos. Cresta quiso adoctrinarlo, según El Galo lo acusa ahora, "desde tu comodidad en el extranjero". El hombre se compone, quiere ser civilizado y detener la camorra que enmudeció a la cuadrilla del cocinero, y también a su banda de alumnos. Se incorpora de la silla para quedar de cara al Galo, sacude migas de su traje perfecto de lino arrugado color claro y, cautivador, lo felicita porque el restaurante figura como uno de los sponsors del evento. Envarado en su derecho de admisión, dueño de esas pocas mesas y memorias, El Galo lo enfrenta con el pecho. Tensa los ojales que apenas contienen los botones de su chaqueta de cocinero. Toma distancia como para noquearlo, obligando a Andrea a desplazarse. Ella apenas le roza un brazo, a mucho más no se atreve. Sin embargo, El Galo responde al contacto. Desinfla el pecho, depone doctrinas y afrentas y se aleja cabreado a la cocina a esperar el pedido de la comida.

El profesor bebe copiosamente el vino. Les reitera su enunciación para así volver a reunirlos en un puño:

—El acontecimiento que define la identidad es la transpropiación. Se apropia a sí mismo, mutuamente, es el primer vínculo. Si no, ¿qué es el hombre?

Los demás demoran en prestarle atención, comentan entre ellos, disimulan. Y las naturales interrupciones de la rubia que toma el pedido, la rubia y el pan, la rubia y el vino. Al rato vuelven las preguntas y las risas. Cresta nunca pierde la ilación. Andrea lo escucha sintonizada con esa modulación que acalla otros tonos y ruidos. Junto con la definición del profesor la invade un remolino que reemplaza su "no hay nadie aquí adentro". Se acerca unos pasos más. Ignora cómo presentarse, y piensa que tal vez pueda simular ser alguien.

El Galo ahora suda doblado sobre los fuegos en una lucha desigual contra ocho ojos de bife. Jugosos. Todos pidieron lo mismo; las probabilidades de una comanda así eran cincuenta contra una. Sin embargo.

Aprieta la carne con un tenedor para percibir su cocción, pero, a pesar de haberlos sellado, algo de sangre se escapa, haciendo cabrear al cocinero. Si se desjugan, no hay chances de que arriben sanguíneos a la mesa. A través de los ruidos de la cocina —que de tan oídos ya no se escuchan—, le llega la voz del profesor Cresta. El Galo guarda el golpe que le hubiera dado en el congreso al escuchar sus patrañas. Cresta creía que con su retórica —y ahora con su risa suelta— confinaría a este perro en su jaula. Al Galo sus palabras le resultan uñadas en el tatuaje. Escucha identidad y apropiación y pierde toda urbanidad.

El holandés, su ayudante de cocina, está a punto con la guarnición; la rubia no saca la vista de la plancha donde se asan carnes de la misma altura, casi listas. El Galo anuncia:

—¡Sale!

Andrea se aleja de la mesa y va expectante hacia la barra para ver la presentación de los platos. Ve a la rubia doblar y colocar sobre su antebrazo una servilleta gruesa para amortiguar el calor al recibir la vajilla, pero no deja de escuchar, ávida, a Cresta, que a esta altura vocifera, inunda el salón con su voz gruesa e insuflada por el vino:

—Este acontecimiento nos define. Es el momento estelar: el cuerpo, el conjunto de neuronas y el pensamiento se alcanzan el uno al otro. Se emerge del tejido de fibras neuronales y de pronto uno es ése en el espejo. El verdadero estado naciente. Una parcela desde la que mirar el resto del mundo. El Rancho, dirían acá. Después, el Rancho propio será una maldición subjetiva. En fin; apropiarse define la identidad: un acto consciente-inteligente.

El profesor traga vino como si él y el alcohol estuvieran solos. Pero en cuanto el murmullo se eleva en la mesa, impone su voz:

—Si sostengo este tenedor, pienso que soy yo, un sujeto, el que sacude esta cosa. Pero si ocurre la anulación del acontecimiento, bueno, el hombre, por definición, desaparece. No hay sujeto. Se abre la caja de Pandora y sólo encontramos fibras neuronales.

El tenedor cae, es un metal de aguante, una herramienta continua que pasa de mano en mano, y su ocasional guardiana, la rubia, corre a levantarlo. Este pequeño asunto deja las últimas frases flotando, entreveradas con el humeo de la carne.

Dueño de su cocina, y guardián de esas palabras que se cuelan estallando el aire alrededor suyo, El Galo saca nervioso de la plancha la carne a punto y coloca de manera elegante cada pieza en su plato. Pero de pronto abandona su tarea.

Quiere evacuar la tensión que lo llena. Los cuchillos podrían descender como si fuera un acto de la naturaleza. Que lo digerible se vuelva un bolo que pesa. Sangra desde el bolsillo la decisión de la muerte. No quiere servir, se desprende de sus correas. Se da vuelta y les grita que se vayan.

En pocos minutos, el plantel desenfunda. El holandés se saca el delantal que deja abollado sobre la mesada. La rubia se cuida de no emitir sonido y desaparece.

Queda una porción de carne secándose sobre la plancha. Así El Galo remata el día.

Al verlo iniciar la rutina de cierre del local —que ya empieza a conocer— y oír la cortina metálica que se desenrolla con tremendo ruido de engranajes viejos, Andrea teme quedarse, y también que ésta sea su última huida. Ve el libro de reservas abandonado en la barra, lo agarra y pasa con determinación por debajo de la cortina virulenta que comienza a cerrarse con su ritmo torpe, alejándose del Galo, que esta noche da pavor.

Una vez afuera, busca el tres de mayo, único nombre, reserva y teléfono. Es de un hotel, y figura el número de habitación. Espera un rato en la calle, llama y el mismo hombre canoso y engreído, como en una continuación de su discurso, atiende con su voz aguardentosa. En el fondo se escuchan las mismas risas. Andrea le dice que los oyó mientras cenaban, y que si no tienen nada que hacer los invita a Tigre para el día siguiente.

Vuelve al restaurante, mete el libro de reservas por el buzón —una ranura en la cortina metálica—, escucha el ruido que hace al caer y se ahuyenta, asustada del Galo y también de su manotazo justo, como una corazonada.

13

Setecientos gramos. La exactitud de la balanza se ríe de Juana y también la enfermera cuando ella le pregunta si no faltan o sobran gramos. Le parece imposible la precisión del peso.

Se levanta sin dolores, la guían a ver a su hija (recién ahora pregunta por el sexo). En el camino a la incubadora, vestida con una bata celeste de lazos escurridizos, recuerda una vez cuando era chica. Su padre, alentado por un amigo académico, había invertido en un criadero de codornices. Entre varios amigos alquilaron un cuartucho en el fondo de una propiedad en el Gran Buenos Aires. Allí descargaron jaulas con estas criaturas que ponían huevos diminutos y que serían —según el vendedor— el furor de la gastronomía. La madre la cedió por un rato y Juana, que cumplía diez años, vestida como para una gala en el teatro, acompañó a su padre a ver las codornices.

Entraron en penumbras, con olor a caca y huevo roto.

Pequeñas plumas volaban aun sin corrientes de aire. Shhh, le había dicho su padre mientras le colocaba en la palma un minúsculo animalito plegado, incoloro y vivo.

—Sostenga con cuidado de no tirar de los tubos —le está diciendo un enfermero a Juana, que estira los brazos con las manos abiertas. Su hija tiene la piel transparente nacarada. Cabe en una mano.

—Shhh —dice mientras la sostiene, levantándola por unos segundos dentro de la incubadora.

Cuando la mandan de vuelta a su habitación, una grosería sale de su boca.

Las enfermeras confinan a Dalezio en una silla plástica en el pasillo, a varios metros de la habitación. Juana no dice nada. El supervisor se muda de silla si alguien se levanta, para adelantar en cercanía a la habitación siete. Se pone de pie al verla pasar abatida. Amaga detener al médico cuando éste entra a ver a Juana.

Zona gris. Así llaman a esa semana: siete días en los que vida y muerte están en equilibrio. Reina la incertidumbre. Cerebro, ojos y pulmones. Engordar. Ahora esa nena puede engancharse a la vida o no. Secuelas: otra palabra. Cerebro, ceguera en los ojos. Sí, le dicen, sienten dolor de manera tan intensa como los adultos, porque ya tienen desarrolladas las vías nerviosas. Juana absorbe la terminología de un dialecto sibilino. "Entre la diez y la dieciocho aparece el total de neuronas, pero las conexiones entre las neuronas se multiplican desde la veinte hasta que es adulto: su hija nació en la veintiocho, está por verse...". Le indican que moje un trapo con su leche. Ese pedazo de tela, al igual que las telas con que se envolvía al quedar sola en el camarín, será, como fue para ella, la única compañía de su hija.

Al día siguiente, Dalezio llega temprano a la clínica para buscarla. Juana ya se ha ido.

Llega a casa sin bebé, prende la computadora. Baja rápido pasando distintos niveles y observa quiénes están online. Encuentra a Phil. Escribe ansiosa. Nada. Phil no contesta, a pesar de que se ve con claridad que está activo y responde a otros en la web marginal. De pronto la sobresalta su abdomen en colapso, que aún late con estrés animal, y, como en una secuencia pavloviana, se va a acostar para igual no dormir.

Se levanta vacilante y sinsabor. Prende la computadora, una mínima expectativa la anima. Demora en bucear porque aparecen nuevos filtros que sortear. Deambula por la playa esteparia, busca.

Phil no parece haberse conectado con el foro desde el día anterior. Recorriendo las conversaciones, insulsas en su mayoría, Juana encuentra que ella misma estuvo activa. Una Juana más estoica, menos deslucida, que ostenta en sus dichos una pulcra firmeza y, además, describe a los de la red un suculento desayuno. Juana advierte en esas palabras luz temprana y ánimo. Pero cuando ella misma intenta participar, descubre que no puede. Como ya había visto en otros casos, la han borrado del foro. Pero ya está en la playa, y no logra desandar el camino. En su calidad de fantasma, como si de una escritura automática se tratara, ve cómo escribe la otra Juana.

Bascula entre la identidad virtual, que también ha perdido (ahora es sólo un foco incorpóreo que se pone en marcha en la playa sin límites), y su cuerpo detenido, que no se mueve de la silla. La ropa está pegoteada. Ahora entiende que nadie puede compartir un Quale, nadie puede sentir lo que hoy es ser Juana. Pero el recuerdo repentino del envío de Phil con el barrilete de la tienda de San Francisco le permite respirar.

Dos timbrazos largos. Está pesada, desea poder abrir desde su silla, desde su pantalla.

Abre desgraciada. Un hombre joven tiene en sus manos un paquete alargado. Juana extiende las palmas. El hombre lo retrae, lo aleja un poco con un movimiento breve. Antes debe firmar. Usa el paquete para apoyar unas hojas impresas. Se las alcanza junto con una lapicera. Todo eso sin decir nada.

Va pasando folios y Juana firma muchas veces, no sabe cuántas. Al costado y también abajo, siempre sobre una línea de puntos.

Finalmente entra en su casa llevando en los brazos el paquete liviano de cartón que abre despacio, esperando colores y viento y playa.

En la cabina del ascensor, el empleado del estudio enrolla las hojas firmadas y recuerda que ella le había escrito: "Phil, estoy embarazada...". Pero él ahora no ha visto ninguna prominencia. Alarga la boca, sopla empañando el espejo y decide que le va tirar este *hueso* del bebé al abogado, ese perro viejo que fue un desguazador de familias, y vendedor de partes.

14

Se bajan de la lancha interisleña con el día nublado. El profesor Cresta, criado en Argentina, reside en Estados Unidos desde la época de la universidad. Es la primera vez que vuelve en muchos años. Con él vienen Jorges, peruano, y una mujer francesa. Se ordenan en fila parados sobre el muelle, dispuestos a saludar a Andrea. Cargan sus bolsos y mochilas livianas, se arreglan el pelo, la mujer estira su vestido, Jorges se seca la cara con un pañuelo. El cielo se despeja de pronto, aumenta la luminosidad y un ahhh general deja saldado el saludo para la anfitriona.

Cresta es promiscuo, ideal para el popurrí: los viajes y las alumnas, los congresos y los almuerzos como éste. Acomodado en esa reputación altanera, toma y olvida cada persona, cada relación, con la seguridad de un tramposo. Lo serio es para su cabeza. Un usuario de las relaciones con un don para pensar.

Después de almorzar, y de una larga sobremesa en la que Andrea intenta hacerlo hablar de la "transpropiación" con escasos resultados, finalmente él comenta qué es "el acontecimiento", la unión entre cuerpo y pensamiento.

—Ligarse a sí mismo por el pensamiento. Luego podrá ligarse a otros.

Y expone, como si leyera sus propios apuntes, que si la ligazón no ocurre cuando se es un bebé, o esa relación se rompe por la demencia, o alguien más la quiebra, entonces, dice mirando a Andrea, no hay nada, ya que esa apropiación define al hombre en sí mismo.

Andrea se excita, quiere más palabras. Pero al rato la invade un cierto desasosiego cercano al arrepentimiento por haberlos invitado. El día le pesa. Se levanta y vuelve con el horario de las lanchas colectivas. Cresta agarra su mochila y, sin confirmar ninguno de los horarios que sus amigos le proponen para el regreso, entra en la casa, pasa al baño, deja la puerta abierta.

Desde la galería, Andrea lo ve abrir el cierre de su equipaje viajado y sacar del interior una bolsita de plástico que acerca a la luz para —antes de abrirla— estudiar su contenido con mucho cuidado. Una panoplia de conocimientos se arría en la cabeza del hombre para establecer de manera precisa la cantidad de un polvillo marrón. Arma cuatro grupos y los separa un poco dentro de la misma bolsa. Saca con parsimonia un tubito claro de fondo redondo y tapa ciega. Bebe del tubo el polvillo disuelto en agua clandestina.

Andrea lo vigila.

Como Cresta no sale de la casa, todos van entrando envueltos en la indecisión, acostumbrados a que el profesor diga. Lo encuentran tomando agua de la canilla con avidez. Andrea lo detiene pensando en su cuota. Mira el purificador, que mide en la pequeña pantalla hasta la última gota, y resigna el mate. Se sientan alrededor de la mesa. Cresta empuja al centro la bolsita con polvo de hongos pardo oscuros, de tintes azulados y tres tubos. Todos, menos Andrea, saben que son cogumelos alucinógenos potenciados en agua Eva. Agua psicoactiva adquirida en la web profunda.

—Una experiencia edificante. No una construcción, ja, pero sí edificante —Cresta se ríe fuerte y agrega—: Ya estoy sahumado.

La francesa toma su porción y sale a caminar por la costa.

Andrea mira las drogas y saca la cuenta: vivo en una isla que crece y decrece a mordiscos. No soy una sumatoria de sucesos y sólo simulo ser alguien. Que ese alguien se tome los hongos, que no le va a pasar nada. Decide separar —como si de ganado se tratara— la incertidumbre de ahora de la confusión suprema que sufrió en Maschwitz. Retira el tapón ciego. Toma los hongos que se agitan en el agua Eva de a pequeños sorbos. Cresta señala el moho azulado: es la corona de esa droga de reyes que aún se distingue flotando en el agua de diseño.

Los vidrios viejos de las ventanas traslucen y deforman el verde inmenso del Delta. Se le vienen encima la casa, el abogado, los papeles, el apellido. Se ríe ahora de su *no ser nadie.* Decide que tiene que dominar su imperio. Se siente efusiva, olvida la fatiga. Sentada en la cabecera de la mesa donde Sergio Blanco hubiese enarbolado todas sus banderas, peleándose con nadie, amigando a todos, aguarda que Cresta asuma el lugar de las palabras.

La francesa no vuelve, los hombres hablan entre ellos. Andrea interrumpe, comenta acerca de grupos de perros que nadan ávidos en el río cuando fondea una lancha para el almuerzo: nadan con fuerza en una carrera para conseguir migas de pan y trozos de comida. Nadie le presta atención.

Y El Galo, siempre rabiado, vuelve a su memoria. La tarde anterior se había referido a Tempe como a un viejo compañero. Ella no puede imaginarlos juntos. Le asombra su propia altivez al pedirle la reunión con el Rey del Agua. Ahora se siente como un perro yendo tras la canoa de su dueño. Recibir dos millones es leña para el frío, pero aquí, se dice, no hay fuego. Qué hará Juana con tanto dinero.

Andrea comenta en voz alta que vio peleas de perros en el agua, marrones o de pelaje manchado; un torbellino de músculos, ladridos, encías rojas y colmillos. Los cogumelos la incitan a parlotear.

Un pan comido, habrá calculado Cresta, viendo a esta mujer con tantas ganas de hablar. El hombre se levanta, da una vuelta a la mesa, la quiere atrapar. Andrea se para, cae la silla. Todos ríen y él la toquetea un poco con la excusa de la risa. Andrea se envalentona. Lo empuja.

—Hablá un poco. ¿Qué decías en el restaurante?

—Ahhh, el restaurante de tu amigo. Nos echó. Nos dejó sin comer. Fuimos al hotel y pedimos room room, room service, ja, cosas ricas.

Jorges festeja sus dichos, y Andrea explica quién es El Galo, el tema de los desaparecidos y la apropiación...

—Vos decías, con tu "Cresta" parada —no puede evitar decirlo—, la identidad de esto y aquello, y al Galo cuando escucha esas palabras se le abre el pecho como un perro destrozado en una lucha. Los pateó, y después los puteó.

Cresta se pone serio, no parpadea. Se arremanga despacio enfocado en ella y deja a la vista un vello rojizo que alcanza sus manos. Al verlo, Andrea imagina que el mismo pelo continúa en su sexo. Y esa imagen la clausura. Queda inhibida, dando pequeños pasos que no hagan ruido. Pero desea oír a Cresta revelar lo que le incumbe. Más de la conversación que sostenían en el restaurante.

Descansa otra vez en la visión de los lomos, los perros nadando que estelan el agua aceitosa volviendo a sus casas. Mantos iluminados, sobresaliendo de la superficie de agua, rojizos al atardecer. Pero enseguida recuerda a la familia arrojando restos de ceniza clara. *Yo también nadé en el río. Dicen que no hay que bañarse. Podría tener un encuentro con un cajón desprendido del cementerio de río, un cajón flotando suelto a la deriva. En esa almadraba no se cría nada, se almacenan muertos en amarras.*

Los ojos del profesor la siguen desde su lugar, sentado en el sillón, como un aparato de vigilancia. Andrea no abandona el silencio pero se tumba a su lado. El sonado rumor de Tigre (insectos golpeteando la luz, el agua al chocar con la costa) ingresa por las puertas-ventana abiertas de par en par.

Una mano en la pierna. Pesada y caliente. *Que la deje pero que me diga.* Andrea pierde la voluntad a medida que la mano se hunde, por ahora, en el mismo lugar.

—¿El Galo sabe que estoy acá? —pregunta Cresta.

Andrea no contesta.

—Se enojó porque no entendió. Se fue en medio de mi conferencia y esperó afuera para increparme.

Enterado por su mano que su discurso podría ser su moneda de cambio, Cresta suelta un poco más:

—Uno se liga a sí mismo por el pensamiento. Eso es la transpropiación. Y si la conexión lograda en el cerebro se pudiera cortar con una tijera filosa, se desarmaría el acontecimiento ocurrido cuando uno es un bebé. Desaparece el vínculo consigo mismo. Y no hace falta una tijera: los insultos y los golpes pueden ser igual de filosos. Y el miedo, un bisturí.

Si saca la mano me va quedar un sello caliente que muestra que soy alguien que tolera una mano en la pierna. La conexión cortada... Será por eso no hay nadie aquí adentro.

Jorges está solemne. Es un hombre vacío, como un tronco ahuecado, y no hay nadie que escuche mejor a otro que un hombre hueco. Como un recipiente de barro, no juzga ni analiza, siempre está ahí para ser llenado, vacío al rato, listo para escuchar nuevamente. *Siempre hay un hombre hueco cerca de un profesor. Entre los dos hacemos un auditorio perfecto.*

—Divisala con los ojos —irrumpe Cresta—, imaginá a tu hermana. ¿Cómo es su nombre? Llamala. Andá a algún dominio en el que puedan encontrarse.

Qué sabe él de Juana. Nos habrán citado en el congreso. O yo misma la nombré mientras hablaba de perros con mantos iluminados...

La sorpresa de sus palabras le vale a la mano del profesor unos centímetros arriba en su pierna.

Esa noche nadie se subiría a una lancha.

Hace frío. Andrea se da cuenta de que está sola en la casa. Cresta y Jorges salieron, no sabe cuándo. Imagina a la francesa entrando en el río hasta que el agua la cubre, o enredada con un isleño silencioso que la guía tomándola de la cintura porque no la entiende.

Siente de pronto un candente deseo de firmar, encendido con la charla o con la mano o porque cree, como le dijera el profesor, que por un momento divisó a Juana. *Firmo y firma al final del cuento. Como coautoras del mismo libro... ¿Será eso una hermana?*

El deseo de firmar se transforma en algo urgente, un quemador que sube más la llamarada y le da tremenda energía. Se levanta del sillón, mueve las piernas, trota un poco en el lugar. *Iría ahora a firmar. Hacer mía la plata, frotar la lapicera al escribir mi apellido.* No entiende qué le pasa. Pero antes va a ir a conocer a Tempe en su fortaleza. Después de todo es él, el Rey del Agua, quien clama por ella.

Andrea ha visto repetidas veces a Tempe en las pantallas, paseando por su fortaleza con las botas de hule. Símbolo del agua, un lujo sobre la tierra, las hay de muchos tipos y sólo las usan los ricos. En tierras secas, la gente sin esperanzas de agua, la clase baja, sólo usa sandalias. El modelo del Rey del Agua es simple pero engaña, El Galo se las describió: llevan dentro una cámara con silicagel que aísla y mantiene secos los pies. Andrea compara, imagina los pies de Tempe, débiles raíces de hueso midiéndose con las garras del Galo, sus pies carnudos —que conoce bien— encascarados por no usar zapatos. Lo visualiza subiendo y bajando en patas de su cárcel al salón.

—Puedo simular ser ésa, la Hija del Delta —decide en voz alta aunque esté sola, rompiendo el silencio en que se había enclaustrado, y se siente alta porque cree que se agranda—. Voy a firmar.

Las señales del atardecer vuelven a ser matemáticas: los colores más el croar de sapos más lechuzas más mosquitos. Agarra la manta que cubre el sillón, se la echa sobre los hombros. Algo despejada, insolente, alta y caldeada por su reciente decisión, sale a ver si los perros duermen. Creyéndose libre del claustro donde se había confinado hacía sólo un momento, camina hasta el final del muelle y se acuesta boca arriba, mirando al cielo sobre la madera crujiente. Ve los muelles invertidos. Son el mascarón de proa, el atrio de las casas. Pedestales donde los dueños se amontonan cerca del agua. Al bajar la temperatura van saliendo de sus propiedades como muñecos de reloj cucú. La madera guarda algo del sol abrasador. Las piernas y los brazos descubiertos compensan la temperatura con el aire fresco.

Nuevamente el efecto de los hongos diseminados en su sangre alcanza la cabeza, subvierte el paisaje. Mientras, el sol poniente disputa la luminosidad con algunos resabios de luz artificial. Andrea se asila en la copa de los árboles y piensa en un perro; aquel que la mordió. Ahora lo recuerda perro y no instrumento del dueño. La intimidad de la mordida, la mezcla de sangre y saliva. Siempre merodeando a la gente. El perro y el hombre se acomodan en esa relación despareja. En la cumbre de la devoción del perro, el hombre es el techo del universo. En cambio, no hay nadie para ella en el fondo del cielo.

La tarde es roja a través de la membrana de piel entre los dedos. Una voz, conocida pero distorsionada, la sorprende: mira hacia la isla y, tapándole la salida del muelle, está Cresta parado, vistiendo sólo un calzoncillo: un slip abullonado, grande, de una tela blanca reforzada. Nada más. Descalzo y malcarado.

—¡Quiero cojer ya! —grita furioso.

Andrea evalúa rápido que detrás está el agua, no se siente en condiciones de dar una brazada después de la otra. El río se le presenta infestado de yaguares blancos abriendo bocas como pirañas. Adelante, Cresta con la cara roja y los puños cerrados. Los ojos trastornados lo vuelven desconocido. Desde adentro mira una persona animal. Parece haber dejado sus ideas encumbradas en otro cuerpo. Los músculos apretados relucen por la transpiración. Y el pelo rubio, algo rojizo, se le arma en espirales pegados al cráneo. Inmóvil, pero dentro de la figura pétrea y húmeda algo se remueve.

Andrea prevé un desastre, la sumisión a alguien vicioso y retorcido. El pasado con su marido aparece como un *continuum* en el que su padre desaparecido y las historias del Galo se entrelazan con el horror que siente.

Cita algo, como siempre que está asustada.

Vivimos en un horror disfrazado…

—Otra vez no —solloza Andrea.

Cierra los ojos a todo cuando escucha:

—¡Fuera de aquí! ¡Dé media vuelta y váyase!

Es El Galo, que reta al profesor como si fuera un chico.

—¡Váyase, vamos, ya mismo! —le señala el camino.

Cresta duda, pero luego gira el tronco como un tirabuzón. No se decide a despegar los pies del muelle. El Galo insiste con un brazo extendido señalando la tierra todo lo desafiante que puede ser, y es mucho. Finalmente Andrea ve con sorpresa cómo Cresta acata la orden: agacha lentamente la cabeza y comienza a dar pasos hacia la isla.

Jorges se hace cargo de su venerado profesor; pide disculpas, dejando entrever que no es la primera vez que pasa.

Le entrega una nota indicando que es un mensaje para la francesa que vino con ellos. Se alejan en la misma lancha que trajo al Galo.

Al tropezar esa mañana con el libro de reservas, El Galo había llamado al hotel y sospechado el encuentro. Y Andrea, al menos en ese asunto —había pensado El Galo—, era suya.

—Mi cabeza se entenebreció con una membrana, una mediasombra —le dice Andrea, agitando la cabeza como un perro mojado al salir del río. Deseando desentumecerse del susto que le dio Cresta, pero con ganas de seguir escuchándolo. Cree que Cresta se llevó con él un abracadabra que a ella le falta. Gira para mirar la estela que abre el agua llevándose al profesor y también para ver cómo se cierra. Todo se diluye en esta droga de reyes.

Se quedan solos.

—Si apilás tus experiencias como panqueques en un plato —Andrea hace el gesto de ponerlos unos sobre otros—, y te saco estos recuerdos —dice retirando el plato— que son sólo un montón de harina para sentirte satisfecho. Para engañar el estómago. ¿Qué sentís?

—Hambre, Andrea. Vacío —responde El Galo aún flameante de furia, pensando que Andrea siempre lo picotea y que está harto.

Andrea no quiere que sus antepasados la definan y desdeña los panqueques que gustoso acepta El Galo. Ella no comería de ese plato. Recuerdos apilados que no la constituyen. El Rey del Agua insiste en materializar a Blanco, pero son ecos de gente lejana. Propuso cantos para que los beneficiarios recordaran (mandó a componer estribillos pegadizos), y por un período sonaron encapsulados invadiendo los ríos. También a ella le llegaron los stickers con dioses que debían estimular las autobiografías. Ahora Tempe planea llevar a estos Hijos por territorios marcados. Creó una ruta en internet, entrelazada con discursos pop up sonoros que hablan de la infancia, una vía posible de concatenación de recuerdos. También anuncia "un blanqueo" para los extranjeros que vagan en la web profunda. Los invita a que sonrían en su ruta marcada. Pero nadie la usa. El Rey chapotea enojado; nadie navega en sus autopistas inspiradas. Esas rutas seguras están señalizadas con carteles que llevan su cara. Cada vez que alguien las recorre suma números en la pantalla de su búnker.

Cociéndose en las últimas oleadas de la droga, el deseo de firmar, Cresta, Tempe, Juana mezclan aguas como en una confluencia de ríos. Pero Andrea empuja lejos el bote con los recuerdos de su padre para no sentirse harta y adormilarse en los muelles.

Al Galo le gusta un microgesto que hace esta mujer: levantar los brazos desperezándose, cosa que, por suerte para él, Andrea repite a lo largo del día sin necesidad de amanecer. Sus tetas se levantan su abdomen se estira la cabeza se inclina y cierra los ojos. Entonces la desea.

Van con lentitud a la casa de madera.

Antes de entrar, El Galo la detiene en la galería y le informa con voz recia que su cita con el Rey del Agua es al día siguiente. Y enseguida se relame, porque Andrea repite ese gesto infantil de recién salida de la cama. El Galo infla su pecho proa de barco y la abraza.

15

El equipo del búnker había convocado a Tempe al laboratorio para que entendiera algo más de la investigación. Antes de que advirtieran su presencia, el Rey, curioso, lechuguino y de ojos marrones, estiró lento el cuello como un mimo, agrandó los ojos y espió por el vidrio de la puerta. Se escondió y repitió el movimiento hasta que finalmente entró. Disfrutaba de la compañía de esa gente desconocida y permutable. Hizo un saludo político, general; no se cuidaba al emitir agudos porque él era Tempe, el Rey del Agua.

Le presentaron al investigador contratado que había desenrollado la genética de los Hijos del Delta. Por primera vez iba a saludarlo. Y cuando el hombre le devolvió el saludo escuchó un sonido tentador: ese hombre prolijo y deslucido hablaba con una voz que a él le hubiera gustado portar. Dalezio tenía prendida una etiqueta en la camisola: Psicología Extrasomática. Tempe lo animó a explicarse, para así escuchar su voz soberbia.

Dalezio le contó cómo rastreaba buceadores en los formatos cifrados de la internet profunda. Podía recuperarlos aun cuando tomaran la Ruta de la Seda, donde se encontraba la mercancía secreta. Ahora, señaló, en esta oportunidad abría un nodo que habían mandado a su pantalla. Tempe continuaba mirando fijo la etiqueta.

—Extrasomático es fuera del cuerpo, trato sus identidades virtuales. Abro nodos, descargo la información de al menos dos teras que porta cada uno.

El Rey sólo deseaba su voz. Le pidió que continuara.

—El agua cruda trasborda información. Y para que el municipio pueda vender el agua inerte la depuran de *bichos*, datos y materia. Con esos residuos se armó el banco biogenético. Este nodo era de uno de sus desaparecidos, una traza genética que atrapamos en el río.

Tempe se inteligenció y asintió. Dio la mano al sorprendido empleado. Volvió a su hermoso despacho a esperar que Dalezio terminara y le dijo a su secretaria que eligiera unas botas para que el hombre atravesara la Sala del Pato y se reuniera con él.

16

Juana va a la clínica a la hora estipulada. Tiene un régimen de visitas y consultas médicas. Antes de salir mira el barrilete, triste facsímil de lo que esperaba: un arco de caña, papel glasé, ojos blancos en un dragón azul de mala estofa. Pero lo tiene en casa.

No fue antes —perdió algunos turnos—, pero va ahora a visitar a su beba porque le anunciaron que no habrá más plásticos ni metales que bombeen absorban expulsen. Dalezio la acompaña, atento a sostener que la niña es su progenie. Soporta su exclusión en silencio. Vigila a su manada oculto detrás de árboles bajos.

La madre se enfoca en las partes blandas. El color rosado y algo de pelusa en los brazos mitigan su animosidad contra las máquinas. La ve más grande, intenta discernir su ascendencia. Nota una nariz puntiaguda. Quiere adivinarle un nombre pero no le sale. La invade un sinsabor, pide alguna píldora. Intenta recopilar sus propias señas y sintetizarlas en su hija, pero no encuentra nada, y revive cuando la llamaban Quale.

17

Una lancha de prefectura la deja en el búnker del Rey del Agua. Andrea camina sobre el deck de aluminio hasta empujar una puerta, y del otro lado encuentra unas simpáticas botas de hule de su talle que esperan solitarias rojas carmín, apuntando paralelas hacia un patio redondo y despojado que debe cruzar. Una capa de agua de uno o dos centímetros lamina el suelo, volviéndolo inestable a la vista. Y una corriente, que Andrea no se da cuenta de dónde sale, desliza al enorme pato amarillo inflable que se acerca amenazante. Calcula los segundos que tiene para ponerse las botas y cruzar antes de que la alcance. Aunque suave y con una sonrisa flexible, el pato parece irreductible por su gran tamaño.

Chapotea sin querer, vigilando el ave hasta la puerta siguiente y deseando que el patio que dejó atrás no tenga otra finalidad que la decoración. Será Tempe, se pregunta, o hay una señora de Tempe que pasa revista en la red, sin perderse, claro, transitando segura por el camino del Diseño, como anunciaba la revista en lo del abogado; una ruta sin baches, llena de belleza y sin bifurcaciones aterradoras.

Tempe la saluda con gran agitación, soberano de su búnker. Ágil, joven.

Andrea mira las soberbias botas tornasoladas del Rey del Agua y el traje, que de alguna manera combinan bien. La voz de Tempe invade aguda, tragando cualquier otra observación. Oficia de guía en un tour complaciente. Se regodea ante el laberinto de plantas del invernadero. Y se detiene al llegar al laboratorio; frota las botas entre sí, logrando un sonido que semeja un beso en el aire. Dentro del laboratorio, empleados uniformados con delantales blancos se desplazan de una pantalla a otra. Tempe le dice que entre miles de *bichos...* Pero enseguida, luego de otro chuic de sus botas, se corrige y aclara: que entre miles de trazas que atrapa la depuradora, hace sólo unas semanas, apareció una que era humana. Las otras trazas las interceptaron los drones: se sabía de cadáveres arrojados desde aviones en el río Luján. Tempe tiene que llevarla del brazo para terminar el tour dentro de su amplia oficina. Le ofrece jugos naturales de pulpas sorprendentes, como nuez o pasto. También de frutas.

Frente a ella hay una pantalla cristal donde mira los dibujos de Tempe. Un collage con ríos verdaderos. Suena una música delicada. Andrea se relaja. *La verdad, estoy entretenida.* Casi olvida a Tullio, al profesor y a Blanco.

Él está a sus espaldas, mirándola a ella y su pelo enrollado, la felicita por el fulgurante rojo de las botas.

Continúa hablando con voz cantinela, arrimando sus labios finos que se adelgazan más en las comisuras y, aunque no quiere deshacer las costuras de la estética y la amabilidad, debe mencionar la muerte de su padre, sus restos, el agua y el dinero. Se pone rígido, por un momento logra una cara inescrutable.

El cambio que Andrea observa en Tempe, además de la hidroponia para cultivar plantas y el suelo laminado por el agua, la llevan a pensar que este hombre debe sentir aversión por la tierra. *Seguro que construyó en el agua, en la zona de depósitos de cajones encriptados, una almadraba entera sólo para él. En un cruce de ríos, la señal será un cartel de hierro con su cara bamboleándose al ritmo del agua.*

El hombre sabe que no siempre toma el buen camino, sus facciones nerviosas saltan de una cara a otra, y sabe que nunca pierde su voz aflautada. Y cómo quisiera perderla. Explicita, entonces, que la soberanía sobre el agua trajo enormes cargas pero que se quiere dar algunos gustos. Enseguida se da cuenta de que el tema del gusto no tiene nada que ver, se silencia un instante para elegir mejor las palabras y rearmar una buena cara. Dice que esperaba que alguna buena causa apareciera.

Mientras mira los anuncios en la pantalla, Andrea se pregunta dónde, en qué ruta estaría ella misma si se buscara, si es que existe algo como ella. Se sujeta de las fibras del pelo como si fueran lianas para atravesar un bosque. Se imagina viviendo al margen, en la extranjeridad, su alteridad activa se cruzaría con otros, en esas direcciones precisas a las que bajan veloces, omitiendo el cuerpo. Y con la identidad disociada que los vuelve huérfanos. En ese mapa de rutas, de vista rápida, en una intersección ve a dos mujeres. Quiere echarse atrás, llevarse consigo su agujero, siente dentro el peso de una barra de hielo. Son ella y Juana. Pero enseguida lo descarta.

El Rey del Agua se escampa. Deja de moverse, cierra la boca. La pantalla se apaga fundiendo a negro. Andrea sospecha que ahora ni el pato se mueve detrás de la puerta. Pareciera que el Delta, su gobierno, su inmanencia, todo estuviera sujeto a su decir.

Entonces Tempe rompe el silencio con voz aguda:

—Los restos de tu padre están en un vaso de agua.

Tempe retoma sus fibrones y es eso lo que enciende la pantalla, la música crece. Dibuja afanoso unas piedras redondas de las que surgen agua, habla de fracturas, de cantidades: como si Rusia se deshelara. Del ahondamiento, de las cataratas. Transpira.

No quiere ser el verdugo de lo que ya está muerto.

Ni tampoco embalsamador de lo que podría decirse vivo. Pero ya dijo lo del vaso y lo del agua.

Le cuenta cómo miden la edad del líquido, anota cifras y también un doscientos que enmarca como la cantidad que queda, sólo para doscientos años. Su voz cantinela cimbra ahora como un animador anunciando premios. Habla de la reserva subterránea. Los labios retraídos y los ojos chicos subrayan pequeñas venas visibles en su cara como un mapa de arroyos finos. Arrastra el fibrón mostrando hacia dónde viajan las aguas. Rellena puntas de flechas dibujadas y titula: El Tempe Argentino, mi Delta, mi Agua.

Entonces aprieta un plumón creando un abanico redondo sobre las Cataratas de Iguazú.

En este punto Andrea sospecha qué significa esta geografía simbolizada en una hoja que desenrolla desde un grueso cilindro de papel imantado. Andrea se alarma; es difícil atrapar lo importante, lo que le concierne.

—Sus restos terminaron en el agua.

La sobresaltan el recuerdo de la prima gorda de su padre que vivía en Misiones, la advertencia de la astróloga en el casete. Se pregunta qué forma tomó entonces la muerte para Blanco, de qué clase de restos le habla Tempe.

Cuando la llamaron, Andrea fue hasta Misiones y la prima de su padre le señaló respetuosa las tumbas con un dedo rosado, tres montones de tierra no tan diferentes en tamaño. Andrea razona ahora que si el agua se llevó a Blanco, habrá arrastrado también al gato y a la yarará. Esos viejos enemigos que pelearon a muerte debajo de una hortensia.

—Viene con tanta potencia hídrica, que cae en la falla. Tanta agua acumulada. Se fractura la tierra. Siglos de deshielos y lluvias infiltradas debajo de las piedras...

Tempe revolea el fibrón en el aire y luego lo dirige hasta apoyarlo en un salto en las cataratas. Atiranta la cara y aparecen sus encías rojas y prominentes, Andrea teme que sangren sobre la hidrografía. Tempe dibuja, con el fibrón que ahora alumbra, o eso le parece a Andrea, dos hombres parados. Dibuja uno más, que los otros dos sostienen cabeza abajo. Luego, en el cuadro siguiente, el tercer hombre cae desde el borde selvático de piedra.

—Bastó una minúscula parte del cuerpo que viajó por los ríos desde el Alto Paraná, una parte que captaron en el Delta, para rehacer la traza. Así es como Blanco ahora está aquí, en un frasco en el laboratorio, flotando en el agua.

Tempe, afín a los actos festivos, sostiene el índice suspendido sobre una tecla roja, mientras explica que cuando firme el poder para el abogado que la representa ante el municipio presionará la tecla de la pantalla y la plata será depositada en una cuenta abierta a su nombre, por "cuenta y orden de la Jurisdicción Líquida". Y que ella es la única que falta. Todos los demás expendientes firmados que le enviara el abogado ya han sido procesados. Incluso el de su hermana.

Hubo silencio, Tempe se humedeció el labio tantas veces que Andrea distinguió el color gris de la carne mojada, hasta que entró la secretaria para avisar que la lancha oficial estaba lista para devolverla a la isla.

18

Cuando le entregaron el frasco y le informaron que era una traza que habían capturado flotando en el agua, Dalezio la había convertido en un nodo para trabajarlo en su pantalla. Se enfrentaría por primera vez con una profanación: no buscaría vivos sino muertos. Pero siempre había sido un explorador con poca agua en la cantimplora; había andado mucho con la garganta seca sin encontrar un oasis. Y ahora que lo llamaban para esta investigación, lo rodeaban riqueza y agua. Se había prendido a la pantalla cristal exaltado por la oportunidad.

Al comenzar la descarga se había apabullado al ver las cataratas. Cada bit —una unidad de almacenamiento— se sumaba en un mapa creando imágenes que se desplegaban, en principio desarticuladas. En una micropartícula encontró rastros de genes, de tierra, de aguas diferentes, de la ropa. A los pocos segundos se fueron reuniendo datos: nombre, edad y un collage de escenarios: el recorrido que el cuerpo había hecho. Pero es mejor no contarse historias, se dijo entonces, recordando las recomendaciones que le hicieran.

Finalmente, una cara lo había mirado desde el cristal, aunque fallaron algunos bits para componerla del todo. La cara de un hombre: Sergio Blanco. El mismo apellido de Juana.

Seleccionó un cuadro que mostraba las cataratas cabeza abajo, parecía que subían en vez de caer. Era lo último que ese hombre había visto: aguas volviendo al frondoso paisaje, acariciando la piedra de basalto oscuro. Lo atrajo lo inerte de la piedra sobre la que corría el enorme caudal atronador, que se internaba en una grieta de la roca y volvía adonde había vivido miles de años. Dalezio observó el sector de la pantalla donde las cataratas se alargaban, aguas turbulentas que no permitían sujetarse. Se mareó.

Surgieron múltiples imágenes en movimiento, también fotos fijas. El nodo se descargó luego de haber expulsado de su interior millones de bits encadenados; un calamar lleno de tinta que dejó hilos flameando. Blanco había vuelto, pero estaba muerto y ya no sería persona.

Desde esa cara encadenada a la pantalla se expandía información. Aun la más lejana. Hasta ahí hubiera debido llegar su trabajo. Pero en el hilado de las derivaciones de familia comprobó algo más: Juana era hija de Blanco. Y con ese telar armó un genograma.

Asaltado por un fuego en la cabeza, tocó un nodo y empezó a recorrer la traza que se expelía brillante, como jugo estelar. Recurrió a un artificio: lo separó del tejido de familia de manera quirúrgica para seguir su pista. Y de esa traza surgió una playa desierta, y alguien que merodeaba remontando un barrilete azul. El óvalo azul temblaba con el viento sin límites. El temblor derivaba al hilo atrapado entre los dedos de una alteridad que lo sujetaba con desgano mientras vagaba por una playa baldía. Era Juana, que ya dejaba su piel más allá de la web profunda, ante un mar sin orillas. Dalezio se dio cuenta de que era tarde para liberarla de su alteridad, en la que se creía diferente de su cuerpo. Un alter ego inmortal que deambularía aun con los interruptores apagados.

Dalezio se sintió, aunque sólo por un momento, en un podio en California, rodeado de eminencias que lo observaban, pantallas supendidas a sus espaldas y mucho vino rojo. Un aplauso cerrado para quien no sólo abre nodos, como hacen ellos, sino que vincula varias trazas y así construye genogramas. Pero mientras veía en la pantalla esos pasos inciertos en la arena, se bajó del podio: lo que de verdad quería era encontrarse a sí mismo en el hijo de Juana. Abrió una derivación y la comparó con su propio genoma, ya cargado en las pantallas.

Vivificar lo inerte y desplegar ese racimo familiar lo dejó melancólico. Su mente agitada había visto a Blanco deslizarse muerto sobre la piedra nunca viva y a Juana perdida en las inmensidades ocultas; pero también acababa de ver lo que rebullía y subsistiría: su hija. La nieta de Blanco.

Dalezio guardaría silencio sobre aquello de lo que ya no podría hablar con Juana. Pero al hacerlo, dejaría un mundo fuera de las palabras: hermana, padre, hija, plata. Se preguntó si esas acciones mundanas hubieran podido devolverla. Pero ella no quería construir nada; ni su alteridad tener un diálogo con este mundo corpóreo. Dalezio recordó un relato submarino —en un documental— que mostraba a un hombre recorriendo las fosas abisales cerca de Japón, entre chimeneas humeantes y peces blancos, en una total ausencia de color. Iluminaba la oscuridad haciendo aparecer corales níveos que jamás habían recibido un solo minuto de luz. Mientras tanto, la voz en el documental se preguntaba qué tan cerca del fondo del mar, de la plataforma submarina, podía alguien internarse y seguir vivo, y decía "que, en tanto no exista una envoltura, máquina o traje que lo transporte sin que su organismo estalle, simularemos con un olvido pretencioso que convivimos con el misterio latiente de las profundidades". El sufrimiento se metió en el cuerpo flaco de Dalezio, y ese sentimiento recrudeció al comprimirse en su hechura angosta. Juana, su identidad, tal vez la que él imaginaba, estallaba en las profundidades.

Mientras apagaba la pantalla, encriptó números entre lágrimas. Dalezio movió piezas en su cabeza; no sabía a quién confiar el secreto de Juana.

Se rearmó mirando su reflejo en la pantalla. Su camisola, su pelo largo sujeto y prolijo, todo en él tenía que combinar. También las botas que le había dado la secretaria de Tempe, que eran de un verde que no podía describir el Pantone, pero que le calzaban justo.

Ahora sí estaba listo para ir al encuentro con el Rey del Agua.

19

Andrea prefiere la costa ribereña, y está dispuesta a nuevas expediciones a los confines de este Territorio Líquido. Y si hay muchas clases de amor, hoy los siente todos. Aun los inútiles, como la tristeza, o el amor por el río. *Fácil enamorarse del río, porque nunca es la misma agua. En cambio uno es siempre la misma historia.* Busca apoyo en el tronco rugoso de un árbol con racimos de flores violeta que se inclinan bajo el peso de una lluvia que comienza despacio. Sigue con la vista una flor que se separa solitaria, desprendida por las gotas que repican, ahora con fuerza, en el agua marrón. El árbol, aprovechando un viento arremolinado, se descarga de la lluvia encima de Andrea. Pero ella no precisa entrar en la casa. Es parte de esta naturaleza mojada.

Recuerda unas láminas órficas que su padre le había mostrado: debajo de un ciprés blanco había una fuente prohibida, y Blanco le contaba que si bebía el agua de la muerte se inauguraba la repetición, la trampa de la existencia. Pero había aguas diferentes. Si bebía el agua de la memoria, el viajero recordaba su verdadera estirpe, celestial o divina, en vez de disolverse.

No sabe quién gobierna. Si Tempe, si la plata. Si se verá obligada a cobijarse cada día en la misma casa. O si finalmente dominará su imperio. Sin claves temporales, nadie le pregunta cuándo. Sin embargo, la noche está de vuelta, y ahora Andrea sabe más de lo que desea. Y se pregunta si la firma, el autógrafo pendiente, la volverá autora de esta historia.

¿Ya sabrá Juana que nuestro padre fue arrojado en las cataratas y, arrastrado por aguas potentes, pasó cerca del cementerio de Almadrabas? Su cuerpo libre, sin cajón, se despojó de la ropa, la piel y se blanqueó por efecto del agua. Un manatí albino lo confundió con uno de su manada y por un momento tuvo compañía. Desde el Alto Paraná llegó al Delta y, ya con poco cuerpo, la corriente lenta lo hizo pasar, tal vez, por delante de la casa.

Pero no voy ser yo quien llame otra vez a mi hermana.

Una vez en el estudio, la propuesta del abogado se le viene encima, como si ella fuera la demandada. El impulso de firmar se ha mitigado, está silenciosa. Tullio la insta a contestar sin abandonar cierta elegancia. El espejo refleja al abogado detrás suyo: empuña la lapicera como un arma, apuntándole al cuello. Pero luego enfunda, la guarda en el bolsillo interno del saco y acomoda el pañuelo rojo que enflora su traje.

—Andrea, querida Andrea —ya sentado, habla con voz de mendigo y palabras de abogado—: Sergio, mi amigo de la infancia, perdido y luego olvidado. Pero lo traeremos de vuelta en este acto, con esta firma.

Tullio sorprende a Andrea con una foto de una pecera y muchos estantes de metal, como de supermercado, dice, con los libros de Julio Verne de Editorial Molino, con la colección de Iridium, los libros de Acme, la biblioteca Billiken.

Andrea forcejea con su ánimo, esos libros que ordenaban juntos con su padre quieren ser un llamado, un llamador para Andrea chica. *Está agitando un cartel con mi nombre entre una multitud de caras. Podría responder al llamado, volver automáticas las respuestas.* Qué respondería una Hija, se pregunta, y espera que eso resuene en alguna tecla de tantas octavas.

Andrea ahora sabe qué forma tomó la muerte de su padre: se disolvió en el agua. *Cómo se agarra algo disuelto, cómo sujeto lo que se escurre entre los dedos.*

En el aire viciado del estudio del abogado, unos pequeños insectos y fragmentos de polvo se agitan en el aire y se hacen visibles con la luz focal; ese cúmulo de migas, una incongruencia de pequeñas partes que ensucian el espacio, le resultan por ahora su imagen más acabada.

Mira el escrito con los nombres y apellidos. El poder para que el abogado complete el trámite y ella cobre la plata. *¿Por qué me siento yo la demandada?* A la vista está el espacio para las firmas. Andrea se toma un momento que seguro a Tullio le parece demasiado largo.

Aparece, en el polvo suspendido, un cordón iluminado, una congruencia en precaria formación. Un hilo que mueve su mano al acto de firmar. Advierte en la hoja oficio el borrón de su A = A detrás de un blanco lechoso que lo tapa. La tachadura oculta el signo igual, pero algo se transparenta: A A. *No es que yo fuera igual a mi papá, A es A y yo soy lo mismo que yo, lo que eso sea*, repasa. Andrea se para de un salto, disipando el polvo, y, para sorpresa del abogado, le arranca la lapicera desflorando su bolsillo. Arrima a la hoja la punta, que apenas contiene una gota de tinta. Y en una especie de amorío, como si fuera una gran novedad, escribe su nombre.

20

Dalezio deja el laboratorio. La Sala del Pato no lo distrae. Tempe lo espera, y mientras camina encajonado en largos pasillos con lo inmenso de su descubrimiento, pero mínimo dentro de sus botas de hule, intuye que la inseguridad puede opacar su sangre. Se siente palidecer.

El Rey lo pesca con halagos: el sonido de su voz, tono, timbre. Lo induce a leer unos sonsonetes. Lo graba. Tempe, insaciable, embelesado, quiere aprehender su tono, esa voz de locutor le encanta. Recién se sosiega cuando obtiene de Dalezio ristras de frases y comentarios que graba.

Ahora conversan del hombre asesinado, el cuerpo quebrado cayendo en las llamaradas de agua. El impulso del cuerpo que se fue apagando en las corrientes, y la deriva lenta que lo demoró hasta integrarlo al Delta como tanta otra naturaleza muerta. El investigador encoge los pies dentro de las botas flojas; quiere resguardar lo íntimo.

Finalmente, Dalezio se convence de que a este gobernante lo que le importa es la fiesta, la resonancia en la prensa, no "los olvidados", que son una cifra y ya tiene suficientes. Pero no cree que sea un pirata, más bien un figurín con mucha plata. De modo que se reserva a Juana en la playa remontando el barrilete flaco. No quiere que la nieta de Blanco sea un valor de uso, un diferencial mediático para este capitalista.

El Rey del Agua le anticipa detalles de la fiesta veneciana, allí entregarán unos enormes cheques simbólicos a los Hijos del Delta.

Ahora está seguro de que Juana nunca supo nada.

21

El Galo y la Hija se despiertan juntos en la pieza de los postigos, la habitación donde Andrea eligió dormir desde su llegada. El Galo se tomó un día de franco, salió de su cárcel y fue por segunda vez a la isla.

La casa ciega suspende la vista; en esta oscuridad de sombras ligeras es casi lo mismo mantener los ojos cerrados que abrirlos. El tacto ilumina la consistencia de los cuerpos y las cosas. Así se sabe de camas y sábanas. De piel robusta y caliente. Los olores traen sexo y río.

—Ya firmé —anuncia Andrea, extrañada de que en la suspensión de la vista su voz suene.

El Galo inicia un suspiro que queda flotando, porque ahora no sabe qué sigue con esta mujer. Lo que sabe es que él podrá cobrar por su labor y carajear al molusco de Tempe. Pero le empieza a molestar algo pendiente, un llamado, alguien que dijo ser el investigador del caso de Sergio Blanco y conocer a la hermana de Andrea, y con voz portentosa le rogaba una reunión.

El Galo se levanta, destraba un postigo, abre apenas una hendija y, proclive a impresionar, bambolea la pija larga de la mañana. Andrea mira a medias.

Está advertida de que en estos días Tempe va a divulgar su nombre y el de los demás Hijos del Delta. Que sus identidades van a restallar en las pantallas cristal. Se pregunta qué hará Juana con tanto dinero. Andrea ya lo tiene en la cuenta abierta por orden del Rey del Agua. También está esta casa de madera de sauce, sin piedras ni ladrillos, que podría ser suya. Como si aquí hubiera nacido.

Pero en este Territorio Líquido se deriva, y la mudez de los isleños podría hincarle el diente mordiéndole la lengua. Teme que el silencio le asalte los sentidos si se queda sola. Un hábito en el que ninguna conversación ocurra. Por ahora se sienta en la cama, manotea una ropa abollada en el piso, algo que la cubra. Una remera y una toalla chica que engarza en sus caderas flacas. Ya no se golpea, porque su cabeza incluye el mapa de la casa de la isla. Con pasos largos, en un santiamén, se encuentra en la galería y, con entusiasmo, fuera de la casa. Baja al parque que hoy está seco, se acomoda la toalla, balconea en el muelle. Intenta adivinar en qué instante del loop estará la publicidad de Tempe en la pantalla, la invitación a la fiesta veneciana, el anuncio de la entrega de los cheques. El destino de la plata producto de la venta de su agua. El Galo le había anticipado el discurso de Tempe imitándolo, girando entre sí las manos. Y la parte en que diría que "el ciclo continuo del agua termina aquí, en el Nuevo Delta".

Tempe aparece en la pantalla. Andrea abre bien los ojos, que ya están limpios listos despejados para ver lo que se presente en el cristal. Finaliza el loop de rutas seguras y no aparece nada más; sólo la imagen congelada de Tempe calzando sus botas tornasoladas, hasta que recomienza nuevamente. Pero no anuncian nada de lo que Andrea vino a mirar: desde un extremo del muelle, estirando el cuello para centrarse en la pantalla, esperaba ver a los Hijos del Delta, y entre ellos la imagen de Juana.

22

Hoy Dalezio confía en su encanto. Está limpio, lavado de su vida mustia. La camisola blanca deja ver sus tetillas, pero no se permite críticas; serían un lujo, la puerta dorada al laberinto de siempre.

Preparó para Tempe un chip con su propia voz encriptada y trajo consigo el código: un regalo para el Rey. Habrá sorpresas: cuando entre en la navegación superficial, Tempe va a experimentar subjetivamente el encuentro con una máquina animal, y al montarla el Rey hablará con la voz magnífica que tanto desearía tener. Tendió territorios acotados a zonas reconocibles con mucha agua. Dalezio sabe reconocer las líneas de fuga que generan marginalidades miserables o creativas; las fronterizó con cercos visibles, muros tranquilizadores. Espera entretenerlo mientras él encuentra lo que viene a buscar.

La lancha oficial lo deja en el muelle. Se pone las botas. Cruza una vez más la Sala del Pato.

Se desvía al laboratorio, nadie parece sorprenderse de su presencia ni mira sus tetillas, que se ponen duras por el aire acondicionado. Retira de la vitrina presurizada el frasco de agua que tiene a Blanco adentro.

Le pide a un inspector de aguas que le entregue a Tempe en su nombre el chip envuelto en papel metalizado y moño como para un cumpleaños. Cruza de nuevo la antesala chapoteando y, con determinación, empuja al enorme pato que queda oscilando y genera una ola baja. Dalezio corre, deja las botas y llega al final del muelle, donde el capitán arranca la lancha que lo dejará en el continente.

Entra en la casa de Juana con la llave que copió cuando comenzaron las fallas en el trabajo en la network. El cuerpo de Juana está encajado en el sillón anatómico, pero Juana no está allí. Primero la Ley de Hielo la atrapó y la dejó sin patria. Su continuo deambular en la web profunda, y el ataque del Troll a su identidad, le impidieron volver a la navegación en internet, a las redes aprobadas por el municipio. Dalezio sabe que es tarde, aun para él, para volverla persona porque ya su alteridad vaga en posición transversal, donde los ancestros, animales y vegetales se superponen sin tocarse. O tal vez se haya encontrado con un murciélago y acomodado en una cueva colectiva llena de sentimientos en peligro de extinción. Sus neuronas van a simular algo de su persona; comerá, incluso asistirá a los pacientes al otro lado del mundo, hasta que su equivalente virtual se desprenderá de cualquier encuadre.

Dalezio retira la tapa hermética del frasco que robó del laboratorio. Lo deja sobre el escritorio, al lado de donde ella está sentada, y se desploma en el sofá.

Juana vaga despacio en la arena inerte. Sin referencias, no computa sus pasos. Ve un pequeño animal que se mueve pero no lo alcanza, porque sabe que no comparten nada. Está recluida en lo privado. Su alteridad no proyecta sombras, pero, excluida de todo, algo queda.

De pronto, Dalezio nota que Juana ha vuelto a su sillón, porque ahora está mirándolo y estira lento el brazo, con un movimiento articular de autómata, y bebe del frasco toda el agua.

23

El Galo, como es su costumbre, quiere amilanar a Dalezio, pero desde que el investigador cruzó la frontera y buceó profundo para ver a Juana en esa playa, despunta el ser extranjero. Mira al Galo como un turista; no lo afecta. Por ahora Dalezio conoce cómo sortear las leyes y no pueden atraparlo.

El Galo conocía la psicosomática y hasta se habría interesado por lo que el tipo decía, todo eso del ADN y las trazas, pero sentía que su misión en el caso había terminado. Después de todo, Andrea había firmado.

Al rato de conversar, El Galo desinfla el pecho. Su inercia es igual a su fuerza y debe meditar esto de volver sobre sus propios pasos. Le queda claro que la hermana de Andrea nunca supo nada, y que alguien más se quedará con esa plata.

Dalezio estira las explicaciones acerca de sus investigaciones, como cuando daba esas conferencias que nadie le pedía, pero El Galo lo interrumpe:

—¿Conocés al abogado que contrató el gobierno local? Uno partido al medio y arreglado, con poco aliento. Ése era el coso encargado de hacerles firmar el poder a las hermanas.

El joven empleado había apagado su pantalla cristal. Caminó por el pasillo que unía los despachos con pasos sordos, que no avisaban. Se desplazaba cómodo sobre la alfombra turquesa. Ya había dado caza a Juana Blanco, y planeaba mejorar su paga a cambio de la localización de la beba. Tullio podría recurrir a las desusadas tácticas en el robo de bebés. Llevaba una carpeta. Había convertido códigos en lenguaje escrito e impreso los resultados de su trolleo para el viejo abogado. En otra hoja, la dirección de la clínica. Fue a orinar antes de tocar la puerta para deleitarse, por última vez, con la resonancia de su silbido en el baño azulejado. Con su agudeza auditiva, también auscultó el sonido de sus golpes en la madera maciza de la puerta de Tullio. Lo sorprendió un jadeo intenso.

Cuando Tullio vio a su empleado, el ahogo aumentó. Empezó a llamarlo Troll mientras temblaba y pedía en susurros que no lo llevara a las montañas, tenía que despedirse de su ataúd amarrado en la mejor almadraba. Lo dejó solo. Mientras volvía a su pantalla, el empleado escuchó un soplido áspero, sin palabras. Cambió rápidamente la identificación del abogado por la suya. Ahora él era el destinatario del poder que había firmado Juana.

La secretaria de Tullio abre la puerta a los dos hombres sin decir palabra, y queda suspendida de todo movimiento. No sabe qué hacer fuera de su rutina. Parece una máquina programada para acciones simples. Pero El Galo atropella, entra en la oficina del abogado. Lo impacta el escritorio elefante sumiso sobre sus rodillas ancianas. Enseguida nota la laxitud de un brazo. La mano y las uñas esculpidas rozan la alfombra turquesa. Dalezio entra detrás y El Galo gira el sillón para que pueda ver al hombre viejo. Dalezio se acerca, le afloja la corbata, abre su camisa y, al ver el cordón rojo destacado sobre la piel, calcula que le dio un infarto.

El empleado presenta los papeles al gerente del banco que completa la transferencia a su propia cuenta.

—Hecho.

—¿Va a la fiesta?

—Claro, quién se perdería una fiesta veneciana.

Orgulloso, el gerente le muestra su nombre en la lista de invitados al festejo, el gran evento en el río Luján que se celebrará al día siguiente.

24

—Una *villa* maqueta de tamaño real, estilo veneciano. Al lado del río. Las ciento dieciocho islas —el Rey del Agua chequea rápido si no son ciento diecinueve—, un vaporetto, que corra el Spritz y la fiesta. Góndolas. Algarabía. Marea alta. En las pantallas, cartoons animados con los héroes del pasado. Pancartas. Llegan los Hijos (y el sobrino), cheques grandes como banderas. Total, la plata ya la tienen en sus cuentas. Aplausos. Danzas y cantos. Pongan el chip que dimeriza mi voz hacia los graves. Levanten el tótem de muchas caras. Que vengan en cantidades. Qué atrae a la gente. ¿Nada? ¿No hay reuniones o mítines? Traigan a los municipales.

Tempe instruye a sus empleados, que toman nota. Una luna más y el Rey del Agua tendrá su Venecia. Y a los Hijos de su Territorio Líquido.

Se frota las manos, más bien se acaricia.

Dalezio y El Galo rumbean hacia el búnker para anoticiar a Tempe. Suponen que el Rey, presumiendo filantropía, ignora el embuste del abogado.

Dalezio tropieza con una maraña de rutas muy poco seguras, porque su alteridad despierta, luego de que buscara a Juana en la web profunda, comienza su propio deambular. Por ahora conoce cómo entrar y salir.

El Galo, en cambio, siempre clavado en la tierra, se siente un poco despistado desde que conoce a Andrea. Por primera vez su bloque de identidad tambalea. Pero antes de cruzar la Sala del Pato, los dos se adecuan como pueden, manoteando viejas actitudes: El Galo saca pecho y Dalezio estira su camisola para confiar en su aspecto.

El Rey está viendo junto a sus asistentes, en la gran pantalla, la nueva captura de vientos que transportan tanta agua vapor como la que se vierte en los mares en su curso en la tierra. Y también los planos de una estructura para represar el agua dulce. Como una guillotina con un filo brillante que, al caer, separe las aguas dulces y saladas. Pregunta, y le confirman que ya negociaron con ese municipio de la costa. El Rey quiere evitar las *aguas muertas*: complican en el estuario la llegada de los buques que vienen a comprar su líquido. Hay que guillotinarlas en la Barra del Indio, dice, donde el Río de la Plata converge en el océano Atlántico. Tempe venera la Sudestada. El arrastre de ese viento fornido contiene la corriente, impide el desagüe y le devuelve su agua.

Ve a su antiguo compañero y al investigador de la voz magnífica y se levanta para recibirlos, abre los brazos inflamado. Les pone una mano en el hombro, armando una rueda entre los tres. Parlotea acerca de la fiesta veneciana, dirigiéndose al centro como si fueran un equipo, vuelca allí su calor y su entusiasmo.

Pero El Galo levanta la vista y ve el videojuego que da inicio en la gran pantalla: Benthos, los organismos fluviales en acción. Los personajes, entre la fauna y la flora, tienen rostros. Andrea es la amazona armada con un machete que descubre a unos narcos finos, elegantes, escondidos en el monte blanco. Los agita en lo alto convertidos en un manojo de muñecos y se los ofrece al Rey que, rodeado de un ejército artificioso, proclama junto a ella el fin de la droga disuelta en agua, en un escenario de propaganda. En esa realidad virtual hay un numeroso grupo de la tercera edad que aplaude la simulación desde la orilla.

El Galo no cree en otros escenarios, ni en los simulacros. En su patria interior hay un único universo en el que todo sucede. No ha tendido una distinción: lo que tiene lugar sucede, y no le importa si esa acción, en la que vio a Andrea, era falta de relieves. En su suelo nativo existen las consecuencias. Su pecho se comba, se llena de aliento fiero. Se da vuelta y golpea fuerte a Tempe en la cabeza, a puño cerrado. Lo desmaya.

Mientras el Rey cae, el golpe le trae los muchos mamporros que ligaba mientras le gritaban, imitándole la voz aflautada.

Los dos hombres lo miran desde lo alto: El Galo exhala un vozarrón junto con el aire, y Dalezio asiente estrenando confianza. Los dos le exigen a Tempe que investigue quién se quedó con la plata de Juana.

Se queda tendido en el suelo, viendo alejarse todo lo que ilusionaba: el festín, la oda a héroes y atletas que cantaría su sola y nueva voz.

El pato fenomenal se desinfla dando vueltas en círculos, emitiendo un agudo y prolongado silbido.

25

Dalezio presenta las credenciales del municipio que aún conserva y la tarjeta de ADN que él mismo generó, luego de que la cadena genética se confirmara. Es el padre de esta niña prematura que vive en alternancia entre un mundo anónimo y la presencia de ruidos, dolores y hambre.

Toca a la pequeña, que por un momento abre los ojos.

Se pregunta qué trae oculto un hijo. Su búsqueda, abriendo nodos de información humana, le permitió armar su genograma, que por un momento lo había elevado, en su visión conjetural, a la aristocracia científica. Pero Dalezio asume hoy con humildad que hay más, más que la información de sus autores: Juana y Dalezio. Y también entiende que lo que el hijo trae oculto es propio del hijo y no es una cuestión verdaderamente suya.

—Y yo voy a ser el custodio de tu plata, aunque la inteligencia "es mejor que la ganancia de la plata".

Dalezio le retira el gorro que cubre la mollera blanda y mueve los dedos de una mano sobre su pequeña cabeza como si tocara un piano. Chispas encienden el campo neuronal como fuegos artificiales. El bebé encoge las piernas, lleva sus brazos al centro. Se ovilla.

Dalezio ya colgó sus camisolas en el departamento de Juana, armó allí su palacio. La consistencia corpórea será con lo único que cuente de su compañera, pero confía en que descubrirá cómo retornarla. Y a su tiempo el bebé estará con ellos y manifestará sus señas.

Juana se desviste de nada y entra al mar de abajo. Lo articuló en interfases con un río en vez de cielo. Un universo bricolage sin divisorias. Es el espectáculo de su propia visión. Pero Juana no es una imagen detenida, es mitad cuerpo, mitad foco animista. Va. Se mueve a velocidades distintas. El río cielo se agita captando su atención bifurcada. Unas piernas se mueven envueltas en el terciopelo marrón del agua y Juana ve cómo bailan dentro de un remolino cónico. Las alcanza entre pliegues de agua.

26

La noche se instala con su oscuridad esclarecida. Andrea tiene la casa la isla el río. Y aunque aún lo ignora, se ha extendido. La hija de Juana es parte también de ella y de este Territorio Líquido, el Delta ramificado en venas, gruesas, o capilares, como racimos de manos abiertas.

La sangre es tejido, y sin el pigmento rojo es fluido traslúcido y amarillento como el río. Turbulento o flujo tranquilo. La hidráulica del cuerpo transporta materiales y desechos. Cuando sigue el curso en otro cuerpo se extienden sus comunidades de sangre.

Ahora recorre la costa y se acerca donde el arroyo se acopla con el río. Lleva una toalla. Esa poca cosa es su liturgia. Se sumerge con destreza, nada nada. Hunde la cara hasta los ojos que refilan la superficie tersa como cerámica mojada. Al extendido del río marrón lo rozan ramas inclinadas. Camalotes con espigas lilas —balsas de animales pequeños— se acercan despacio en su dirección. Un ave cruza el río.

Alcanza la desembocadura. Con una brazada ingresa a la voluta formada por el encuentro entre corrientes. Gira impulsada en el remolino de agua, nada nada como criatura nueva. Algo le roza una pierna. No se altera. Nada en el río vivo, entre los muertos disueltos en el agua.

Agradecimientos

A los dioses Morin, Guattari, Bateson, Prigogine, Popper y Carutti.

A Alan Pauls, Fernando Pérez Morales, Claudia Piñeiro, Luis Chitarroni, Luis Sagasti, Fabián Martínez Siccardi, Sofía Moras, Iosi Havilio, Soledad Rodríguez, Andrés Estrada, Paula Pichersky y Julieta Obedman.

Gracias Javier Urondo.